ЧИНГИЗ АЙТМАТОВ

ДЖАМИЛЯ

Повесть

Второе издание

«Турар»
Бишкек 2018

УДК 821.51
ББК 84 Ки 7–4
  А 37

Первое издание отпечатано 2008 году.

**В оформлении книги использованы
картины Диаса Устемирова.**

Айтматов Чингиз.
А 37   Джамиля: Повесть. – Изд. 2-ое – Б.:
«Турар», 2018, – 88 с.

ISBN 978-9967-15-774-3

Джамиля – ранняя повесть народного писателя Кыргызстана, лауреата Ленинской и Государственной премий Ч.Айтматова. Она вышла на кыргызском языке в сборнике «Обон» в 1958 году. Переведенная на сотни языков, повесть получила широкую популярность среди читателей разных народов мира.

А 4702300100-18

УДК 821.51
ББК 84 Ки 7–4

ISBN 978-9967-15-774-3

Вот опять стою я перед этой небольшой картиной в простенькой рамке. Завтра с утра мне надо ехать в аил, и я смотрю на картину долго и пристально, словно она может дать мне доброе напутствие.

Эту картину я еще никогда не выставлял на выставках. Больше того, когда приезжают ко мне из аила родственники, я стараюсь запрятать ее подальше. В ней нет ничего стыдного, но это далеко не образец искусства. Она проста, как проста земля, изображенная на ней.

В глубине картины — край осеннего, поблекшего неба. Ветер гонит над далекой горной грядой быстрые пегие тучки. На первом плане — красно-бурая полынная степь. И дорога черная, еще не просохшая после недавних дождей. Теснятся у обочины сухие, обломанные кусты чия. Вдоль размытой колеи тянутся следы двух путников. Чем дальше, тем слабее проступают они на дороге, а сами путники, кажется, сделают еще шаг – и уйдут за рамку. Один из них... Впрочем, я забегаю немного вперед.

Это было в пору моей ранней юности. Шел третий год войны. На далеких фронтах, где-то под Курском и Орлом, бились наши отцы и братья, а мы, тогда еще подростки лет по пятнадцати, работали в колхозе. Тяжелый повседневный крестьянский труд лег на наши неокрепшие плечи. Особенно жарко приходилось нам в дни уборки. По целым неделям не бывали мы дома: и дни и ночи пропадали в поле, на току или по дороге на станцию, куда свозили зерно.

В один из таких знойных дней, когда серпы, казалось, раскалились от жатвы, я, возвращаясь на порожней бричке со станции, решил завернуть домой.

Возле самого брода, на пригорке, где кончается улица, стоят два двора, обнесенные добротным саманным дувалом. Вокруг усадьбы возвышаются тополя. Это наши дома. С давних пор живут по соседству две наши семьи. Я сам из Большого дома. У меня два брата, оба они старше меня, оба холостые, оба ушли на фронт, и давно уже нет от них никаких вестей.

Отец мой, старый плотник, с рассветом совершал намаз и уходил на общий двор, в плотницкую. Возвращался он уже поздним вечером.

Дома оставались мать и сестренка.

В соседнем дворе, или, как называют его в аиле, в Малом доме, живут наши близкие родственники. Не то наши праде-ды, не то наши прапрадеды были родны-ми братьями, но я называю их близкими потому, что жили мы одной семьей. Так повелось у нас еще с времен кочевья, ког-да деды наши вместе разбивали стойбища, вместе гуртовали скот. Эту традицию со-хранили и мы. Когда в аил пришла кол-лективизация, отцы наши построились по соседству. Да и не только мы, а вся Араль-ская улица, протянувшаяся вдоль аила в междуречье, — наши одноплеменники, все мы из одного рода.

Вскоре после коллективизации умер хозяин Малого дома. Жена его осталась с двумя малолетними сыновьями. По старо-му обычаю родового адата, которого тогда еще придерживались в аиле, нельзя отпус-кать на сторону вдову с сыновьями, и наши одноплеменники женили на ней моего отца. К этому его обязывал долг перед духами предков: ведь он доводился покойному са-мым близким родственником.

Так появилась у нас вторая семья. Ма-лый дом считался самостоятельным хозяйством: со своей усадьбой, со своим скотом, но, по существу, мы жили вместе.

Малый дом тоже проводил в армию двух сыновей. Старший, Садык, ушел вскоре после того, как женился. От них мы получали письма, правда с большими перерывами.

В Малом доме остались мать, которую я называл «кичи апа» – младшей матерью, и ее невестка – жена Садыка. Обе они с утра до вечера работали в колхозе. Моя младшая мать, добрая, покладистая, безобидная женщина, в работе не отставала от молодых, будь то рытье арыков или полив,– словом, прочно держала в руках кетмень. Судьба, словно в награду, послала ей работящую невестку. Джамиля была под стать матери – неутомимая, сноровистая, только вот характером немного иная.

Я горячо любил Джамилю. И она любила меня. Мы очень дружили, но не смели друг друга называть по имени. Будь мы из разных семей, я бы, конечно, звал ее Джамиля. Но я называл ее «джене», как жену старшего брата, а она меня – «кичине бала» – маленьким мальчиком, хотя я вовсе не был маленьким, и разница у нас в годах совсем невелика. Но так уж заведено в аилах: невестки называют младших братьев мужа «кичине бала» или «мой кайни».

Домашним хозяйством обоих дворов занималась моя мать. Помогала ей сестрёнка, смешная девочка с ниточками в косичках. Мне никогда не забыть, как усердно она работала в те трудные дни. Это она пасла за огородами ягнят и телят обоих дворов, это она собирала кизяк и хворост, чтобы всегда было в доме топливо. Это она, моя курносая сестрёнка, скрашивала одиночество матери, отвлекая её от мрачных дум о сыновьях, пропавших без вести.

Согласием и достатком в доме наше большое семейство обязано моей матери. Она полновластная хозяйка обоих дворов, хранительница семейного очага. Совсем молоденькой вошла она в семью наших дедов-кочевников и потом свято чтила их память, управляя семьями по всей справедливости. В аиле с ней считались, как с самой почтенной, совестливой и умудрённой опытом хозяйкой. Всем в доме ведала мать. Отца, по правде говоря, жители аила не признавали главой семьи. Не раз приходилось слышать, как люди по какому-либо поводу говорили: «Э-э, да ты лучше не иди к устаке — так почтительно у нас называют мастеровых людей, — он только и знает что свой топор. У них старшая мать всему голова — вот к ней и иди, так оно вернее будет...»

Надо сказать, что я, несмотря на свою молодость, частенько вмешивался в хозяйственные дела. Это было возможно только потому, что старшие братья ушли воевать. И меня чаще в шутку, а порой и серьезно называли джигитом двух семей, защитником и кормильцем. Я гордился этим, и чувство ответственности не покидало меня. К тому же мать поощряла мою самостоятельность. Ей хотелось, чтобы я был хозяйственным и смекалистым, а не таким, как отец, который день-деньской молча строгает и пилит.

Так вот, я остановил бричку возле дома, в тени под вербой, ослабил постромки и, направляясь к воротам, увидел во дворе нашего бригадира Орозмата. Он сидел на лошади, как всегда с подвязанным к седлу костылем. Рядом с ним стояла мать. Они о чем-то спорили. Подойдя ближе, я услышал голос матери.

— Не быть этому! Побойся бога, где это видано, чтобы женщина возила мешки на бричке? Нет, милый, оставь мою невестку в покое, пусть она работает, как работала. И так света белого не вижу, ну-ка попробуй управься в двух дворах! Ладно, еще дочка подросла... Уж неделю разогнуться не могу, поясницу ломит, словно кошму валяла, а кукуруза вон томится — воды ждет! – запальчиво говорила она, то и дело засовывая конец тюрбана за ворот платья. Она делала это обычно, когда сердилась.

– Ну что вы за человек! – проговорил в отчаянии Орозмат, покачнувшись в седле. – Да если бы у меня нога была, а не вот этот обрубок, разве стал бы я вас просить? Да лучше бы я сам, как бывало, накидал мешки в бричку и погнал лошадей!.. Не женская это работа, знаю, да где их взять, мужчин-то?.. Вот и решили солдаток упросить. Вы своей невестке запрещаете, а нас начальство последними словами кроет... Солдатам хлеб нужен, а мы план срываем. Как же так, куда это годится?

Я подходил к ним, волоча по земле кнут, и когда бригадир заметил меня, он необычайно обрадовался, – видно, его осенила какая-то мысль.

– Ну, если вы так уж боитесь за свою невестку, то вот ее кайни, – с радостью указал он на меня, – никому не позволит близко к ней подойти. Уж можете не сомневаться! Сеит у нас молодец. Эти вот ребятки – кормильцы наши, только они и выручают.

Мать не дала бригадиру договорить.

– Ой, да на кого же ты похож, бродяга ты мой! – запричитала она. – А голова-то, зарос весь... Отец-то наш тоже хорош, побрить голову сыну никак не найдет времени...

— Ну, вот и ладно, пусть сынок побалуется сегодня у стариков, — ловко подхватил Орозмат в тон матери. — Сеит, оставайся сегодня дома, лошадей подкорми, а завтра с утра дадим Джамиле бричку: будете вместе работать. Смотри у меня, отвечать будешь за нее! Да вы не тревожьтесь, Сеит ни за что не даст ее в обиду. И если уж на то пошло, отправлю с ними Данияра. Вы же его знаете: безобидный такой малый... ну, тот, что недавно с фронта вернулся. Вот и будут втроем на станцию зерно возить. Кто же посмеет тогда тронуть вашу невестку? Верно ведь, Сеит? Ты как думаешь, — вот хотим Джамилю возницей поставить, да мать не соглашается, уговори ты ее.

Мне польстила похвала бригадира и то, что он советуется со мной, как со взрослым человеком. К тому же я сразу представил себе, как будет хорошо вместе с Джамилей ездить на станцию. И, сделав серьезное лицо, я сказал матери:

— Ничего ей не сделается, что ее, волки съедят, что ли?

И, как завзятый ездовой, деловито сплюнув сквозь зубы, я поволок за собой кнут, степенно покачивая плечами.

— Ишь ты! — изумилась мать и вроде бы обрадовалась, но тут же сердито прикрикнула: — Я вот тебе покажу волков! Тебе-то откуда знать, умник какой нашелся!

— А кому же знать, как не ему, он у вас джигит двух семейств, гордиться можете! — вступился за меня Орозмат, опасливо поглядывая на мать: как бы она опять не заупрямилась.

Но мать не возразила ему, только как-то сразу поникла и проговорила, тяжело вздохнув:

— Какой уж там джигит, дитя еще, да и то день и ночь пропадает на работе... Джигиты-то наши ненаглядные бог знает где! Опустели наши дворы, точно брошенное стойбище...

Я уже отошел далеко и не расслышал, что еще говорила мать. На ходу хлестнул кнутом угол дома так, что пыль пошла, и, не ответив даже на улыбку сестренки, которая, прихлопывая ладошками, лепила во дворе кизяки, важно прошел под навес. Тут я присел на корточки и не спеша вымыл руки, поливая себе из кувшина. Войдя затем в комнату, я выпил чашку кислого молока, а вторую отнес на подоконник и принялся крошить в нее хлеб.

Мать и Орозмат все еще были во дворе. Только они уже не спорили, а вели спокойный, негромкий разговор. Должно быть, они говорили о моих братьях. Мать то и дело вытирала припухшие глаза рукавом платья и, задумчиво кивая головой в ответ на слова Орозмата, который, видно, утешал ее, смотрела затуманенным взором куда-то далеко-далеко, поверх деревьев, будто надеялась увидеть там своих сыновей.

Поддавшись печали, мать, кажется, согласилась на предложение бригадира. А он, довольный, что добился своего, стегнул лошадь камчой и выехал со двора быстрой иноходью.

Ни мать, ни я не подозревали тогда, конечно, чем все это кончится.

Я нисколько не сомневался, что Джамиля управится с пароконной бричкой. Лошадей она знала, ведь Джамиля — дочь табунщика из горного аила Бакаир. Наш Садык тоже был табунщиком. Однажды весной, на скачках, он будто не сумел догнать Джамилю. Кто его знает, правда ли, но говорили, что после этого оскорбленный Садык похитил ее. Другие, впрочем, утверждали, что женились они по любви. Но как бы там ни было, а прожили они вместе всего четыре месяца. Потом началась война, и Садыка призвали в армию.

Не знаю, чем объяснить, может, оттого, что Джамиля с детства гоняла с отцом табуны, — она у него была одна, и за дочь и за сына, — но в характере у нее проявлялись какие-то мужские черты, что-то резкое, а порой даже грубоватое. И работала Джамиля напористо, с мужской хваткой. С соседками ладить умела, но если ее понапрасну задевали, никому не уступала в ругани, и бывали случаи, что и за волосы кое-кого таскала.

Соседи не раз приходили жаловаться:

— Что это у вас за невестка такая? Без году неделя как переступила порог, а языком так и молотит! Ни тебе уважения, ни тебе стыдливости!

— Вот и хорошо, что она такая! — отвечала на это мать. — Невестка у нас любит правду в глаза говорить. Это лучше, чем скрытничать да исподтишка жалить. Ваши тихонями прикидываются, а такие вот тихони — что протухшие яйца: снаружи чисто да гладко, а внутри — нос заткни.

Отец и младшая мать никогда не обходились с Джамилей с той строгостью и придирчивостью, как это положено свекру и свекрови. Относились они к ней по-доброму, любили ее и желали только одного: чтобы она была верна Богу и мужу.

Я понимал их. Проводив в армию четырех сыновей, они находили утешение в Джамиле, единственной невестке двух дворов, и потому так дорожили ею. Но я не понимал своей матери. Не такой она человек, чтобы просто любить кого-нибудь. У моей матери властный и суровый характер. Она жила по своим правилам и никогда не изменяла им. Каждый год с приходом весны она ставила во дворе и окуривала можжевельником нашу кочевую юрту, которую отец сладил еще в молодости. Она и нас воспитала в строгом трудолюбии и почтении к старшим. Она требовала от всех членов семьи беспрекословного подчинения.

А вот Джамиля с первых же дней, как пришла к нам, оказалась не такой, какой положено быть невестке. Правда, она уважала старших, слушалась их, но никогда не склоняла перед ними голову, зато и не язвила шепотком, отвернувшись в сторону, как другие молодухи. Она всегда прямо говорила то, что думала, и не боялась высказывать свои суждения. Мать часто поддерживала ее, соглашалась с ней, но всегда решающее слово оставляла за собой.

Мне кажется, что мать видела в Джамиле, в ее прямодушии и справедливости, равного себе человека и втайне мечтала когда-нибудь поставить ее на свое место, сделать ее такой же полновластной хозяйкой, такой же байбиче[1], хранительницей семейного очага.

— Благодари аллаха, дочь моя, — поучала мать Джамилю, — ты пришла в крепкий, благословенный дом. Это — твое счастье. Женское счастье — детей рожать, да чтобы в доме достаток был. А у тебя, слава богу, останется все, что нажили мы, старики, в могилу ведь с собой не возьмем. Только счастье — оно живет у того, кто честь и совесть свою бережет. Помни об этом, соблюдай себя!..

Но кое-что в Джамиле все-таки смущало свекровей: уж слишком откровенно была она весела, точно дитя малое. Порою, казалось бы совсем беспричинно, начинала смеяться, да еще так громко, радостно. А когда возвращалась с работы, то не входила, а вбегала во двор, перепрыгивая через арык. И ни с того ни с сего принималась целовать и обнимать то одну свекровь, то другую.

А еще любила Джамиля петь, она постоянно напевала что-нибудь, не стесняясь старших. Все это, конечно, не вязалось с

---

[1] *Байбиче* — уважительное обращение к пожилой женщине, хозяйке дома.

устоявшимися в аиле представлениями о поведении невестки в семье, но обе свекрови успокаивали себя тем, что со временем Джамиля остепенится: ведь в молодости чего только не бывает. А для меня лучше Джамили никого не было на свете. Нам было вместе очень весело, мы могли хохотать без всякой причины и гоняться друг за другом по двору.

Джамиля было хороша собой. Стройная, статная, с прямыми жесткими волосами, заплетенными в две тугие, тяжелые косы, она ловко повязывала свою белую косынку, чуть наискосок спуская ее на лоб, и это очень шло ей и красиво оттеняло смуглую кожу гладкого лица. Когда Джамиля смеялась, ее иссиня-черные миндалевидные глаза, вспыхивали молодым задором, а когда она вдруг начинала петь соленые аильные песенки, в ее красивых глазах появлялся недевичий блеск.

Я часто замечал, что джигиты, в особенности фронтовики, вернувшись домой, заглядывались на нее. Джамиля и сама любила пошутить, но, правда, давала по рукам тем, кто забывался. И все-таки это всегда задевало меня. Я ревновал ее, как ревнуют младшие братья своих сестер, и если замечал возле Джамили молодых людей, то старался хоть чем-нибудь помешать им. Я пыжился и смотрел на них с такой злостью, что как бы говорил своим видом: «Вы не больно тут гогочите. Она жена моего брата, и не думайте, что некому вступиться за нее!»

В такие минуты я с нарочитой развязностью, к месту и не к месту, встревал в разговор, пытался высмеять ее ухажеров, а когда из этого ничего не получалось, терял самообладание и, набычившись, сопел.

Парни прыскали со смеху:

— Ой, ты только погляди на него! Да, никак, она его джене! Вот потеха-то, а мы и не знали!

Я крепился, но чувствовал, как предательски загорались у меня уши, и от обиды слезы навертывались на глаза. А Джамиля, моя джене, понимала меня. Едва сдерживая рвущийся наружу смех, она делала серьезное лицо.

— А вы думали, что джене на дороге валяются? — приосанившись, говорила она джигитам. — Может, у вас и валяются, а у нас нет! Пошли отсюда, кайни мой, ну вас! — И, красуясь перед ними, Джамиля гордо вскидывала голову, вызывающе поводила плечами и, уходя вместе со мной, молча улыбалась.

И досаду и радость видел я в этой улыбке. Может быть, она думала тогда: «Эх ты, глупенький! Если только захочу дать себе волю, кто меня удержит? Всей семьей следите — не уследите!» Я в таких случаях виновато молчал. Да, я ревновал Джамилю, боготворил ее, гордился тем, что она моя джене, гордился ее красотой и независимым, вольным характером. Мы с ней были самыми задушевными друзьями и ничего не таили друг от друга.

В те дни в аиле было мало мужчин. Пользуясь этим, некоторые парни вели себя с женщинами нагло и относились к ним пренебрежительно: чего, мол, с ними канителиться, только помани пальцем — любая побежит!

Однажды на сенокосе к Джамиле стал приставать Осмон, наш дальний родственник. Он тоже был из тех, которые считали, что перед ними ни одна не устоит. Джамиля неприязненно оттолкнула его руку и встала из-под стога, где она отдыхала в тени.

— Отстань! — проговорила она с болью и отвернулась. — Хотя чего от вас еще ждать, жеребцы вы табунные!

Осмон, развалившись под стогом, презрительно скривил мокрые губы:

— Для кошки то мясо вонючее, что высоко на шесте висит... Чего ломаешься, небось самой до смерти хочется, а тоже — нос воротишь.

Джамиля резко обернулась:

— Может, и хочется! Да только судьба нам выпала такая, а ты, дурак, смеешься. Сто лет буду солдаткой, а на таких, как ты, и плевать не захочу: противно. Посмотрела бы я, если бы не война, кто бы стал с тобой разговаривать!

— Вот и я говорю! Война — ты и бесишься без мужниной камчи! — Осмон ухмыльнулся. — Эх, была бы ты моей бабой, тогда бы не то запела.

Джамиля кинулась было к нему, хотела что-то сказать, но промолчала: поняла, что не стоит связываться. Она смотрела на него долгим ненавидящим взглядом. Потом, брезгливо сплюнув, подняла с земли вилы и зашагала прочь.

Я стоял на можаре за скирдой. Увидев меня, Джамиля круто повернула в сторону. Она поняла, в каком я был состоянии. У меня было такое ощущение, что не ее, а меня оскорбили, что именно меня опозорили. С душевной болью я упрекал ее:

— Зачем ты связываешься с такими, зачем ты с ними разговариваешь?

До самого вечера Джамиля ходила, мрачно насупившись, ни словом не обмолвилась со мной и не смеялась, как прежде. Когда я подгонял к ней можару, Джамиля, чтобы не дать мне заговорить о той страшной обиде, которую она таила в себе, с размаху втыкала вилы в копну и, разом приподняв ее всю, несла перед собой, пряча за ней лицо. Она скидывала сено рывком и тут же бросалась к другой копне. Можара быстро наполнялась. Удаляясь, я оборачивался и видел, как она понуро стояла минутку-другую, опираясь на черенок вил, и о чем-то думала, а потом, спохватившись, снова бралась за работу.

Когда мы загрузили последнюю можару, Джамиля, словно позабыв обо всем на свете, долго смотрела на закат. Там, за рекой, где-то на краю казахской степи, отверстием горячего тандыра[1] пламенело разомлевшее вечернее солнце косовицы. Оно медленно уплывало за горизонт, обагряя заревом рыхлые облачка на небе и бросая последние отсветы на лиловую степь, уже подернутую в низинах просинью ранних сумерек. Джамиля смотрела на закат с таким тихим восторгом, словно ей явилось сказочное видение. Лицо ее светилось нежностью, по-детски мягко улыбались ее полураскрытые губы. И тут Джамиля, точно отвечая на мои невысказанные упреки, которые все еще просились у

---

[1] *Тандыр* – устроенная в земле возле дома печь с круглым отверстием, в которой пекут лепешки.

меня с языка, повернулась и заговорила таким тоном, будто мы продолжали разговор:

— А ты не думай о нем, кичине бала, ну его! Разве это человек?.. — Джамиля умолкла, провожая взглядом угасающий край солнца, и, вздохнув, задумчиво продолжала: — Откуда им знать, таким, как Осмон, что у человека на душе? Никто этого не знает... Может, и нет таких мужчин на свете...

Пока я разворачивал лошадей, Джамиля уже успела подбежать к женщинам, что работали в стороне от нас, и до меня донеслись их громкие, веселые голоса. Трудно сказать, что с ней произошло, — может, просветлело у нее на душе, когда она глядела на закат, может, просто развеселилась от того, что хорошо поработала. Я сидел на можаре, на высокой копне сена, и смотрел на Джамилю. Она сорвала с головы свою белую косыночку и побежала за подружкой по затененному скошенному лугу, широко раскинув руки. На ветру трепетал подол ее платья. И от меня тоже вдруг отлетела грусть: «Стоит ли думать о болтовне Осмона!»

— Но-о, пошли! — заспешил я, подхлестывая лошадей.

В тот день, как мне и наказывал бригадир, я решил дождаться отца, чтобы побрить голову, а тем временем принялся писать ответ на письмо Садыка. И тут у нас были свои правила: братья писали письма на имя отца, аильский почтальон вручал их матери, читать письма и отвечать на них было моей обязанностью. Еще не начав читать, я наперед знал, что писал Садык. Все его письма походили одно на другое, как ягнята в отаре. Садык постоянно начинал со слов «Послание о здравии» и затем неизменно сообщал: «Посылаю это письмо по почте моим родным, живущим в благоухающем, цветущем Таласе, премного любимому, дорогому отцу Джолчубаю...» Далее шла моя мать, затем его мать, а потом уже все мы в строгой очередности. Посла этого следовали непременные вопросы о здоровье и благополучии аксакалов рода, близких родственников, и только в самом конце, вроде бы второпях, Садык приписывал: «А также шлю привет моей жене Джамиле...»

Конечно, когда живы отец с матерью, когда здравствуют в аиле аксакалы и близкие родственники, называть жену первой, а тем более писать письма на ее имя просто неудобно, даже неприлично. Так считает не только Садык, но и каждый уважающий себя мужчина. Да тут и толковать нечего, так уж было заведено в аиле, и это не только не подлежало обсуждению, но мы просто над этим не задумывались, да и не до того было. Ведь каждое письмо – желанное, радостное событие.

Мать заставляла меня по нескольку раз перечитывать письмо, потом с набожным умилением брала его в свои потрескавшиеся руки и держала листок так неловко, словно птицу, которая вот-вот выпорхнет. С трудом шевеля негнущимися пальцами, она складывала наконец письмо в треугольник.

– А-а, дорогие мои, как талисман мы будем хранить ваши письма! – приговаривала она дрожащим от слез голосом. – Вот ведь справляется, как там отец, мать, родичи... Да куда мы денемся, мы-то ведь у себя в аиле. А каково-то вам? Хоть одно словечко черкните, жив, мол, я, и все – нам большего не надо...

Мать еще долго смотрела на треугольник, потом прятала его в кожаный мешочек, где хранились все письма, и запирала в сундук.

Если в это время Джамиля оказывалась дома, то и ей давали прочитать письмо. Каждый раз, когда Джамиля брала в руки треугольник, я замечал, как она вспыхивала. Она читала про себя, жадно, торопливо перебегая глазами по строчкам. Но чем ближе подходила к концу, тем ниже опускались ее плечи, и огонь на щеках медленно угасал. Она хмурила свои упрямые брови и, не дочитав последних строк, возвращала письмо матери с таким холодным равнодушием, словно отдавала то, что брала в долг.

Мать, видно, по-своему понимала настроение невестки и старалась подбодрить ее.

— Ты что это? — говорила она, запирая сундук. — Вместо того чтобы радоваться, поникла вся! Или только у тебя у одной муж в солдатах? Не ты одна в беде — горе народное, с народом и терпи. Думаешь, есть такие, что не скучают, что не тоскуют по мужьям по своим... Тоскуй, но виду не показывай, в себе таи!

Джамиля молчала. Но ее упрямый, тоскливый взгляд, кажется, говорил: «Ничего-то вы не понимаете, матушка!»

Письмо Садыка и на этот раз пришло из Саратова. Он лежал там в госпитале. Садык писал, что, бог даст, осенью вернется домой по ранению. Об этом он сообщал и раньше, и мы все радовались скорой встрече с ним.

Я все-таки не остался в тот день дома, а поехал на ток. Там я ночевал обычно. Лошадей отвел на люцерник и спутал их. Председатель не разрешал пасти скот на люцерне, но, чтобы лошади у меня были справными, я нарушал запрет. Я знал одно укромное местечко в низине, к тому же ночью никто ничего не мог заметить, но в этот раз, когда я выпряг лошадей и повел их, оказалось, что кто-то уже пустил на люцерник четырех лошадей. Это меня возмутило. Ведь я был хозяином пароконной брички, что давало мне право возмущаться. Не раздумывая, я решил отогнать чужих лошадей куда-нибудь подальше, чтобы проучить наглеца, вторгшегося в мои владения. Но вдруг я узнал двух коней Данияра, того самого, о котором говорил днем бригадир. Вспомнив, что с завтрашнего дня мы будем вместе с Данияром возить зерно на станцию, я оставил его лошадей в покое и вернулся на ток.

Данияр, оказывается, был здесь. Он только что кончил смазывать колеса своей брички и сейчас подкручивал гайки на осях.

— Данике, это твои лошади в низине? — спросил я.

Данияр медленно повернул голову:

— Две мои.

— А другая пара?

— Это, как ее, Джамили, что ли, это ее лошади. Она тебе кем доводится, джене твоя?

— Да, джене.

— Бригадир сам их тут оставил, приказал присмотреть...

Как хорошо, что я не отогнал лошадей!

Наступила ночь, улегся вечерний ветерок, дувший с гор. На току тоже утихло. Данияр расположился возле меня, под скирдой соломы, но спустя немного времени поднялся и пошел к реке. Он остановился неподалеку, над обрывом, да так и остался стоять, заложив руки за спину и чуть склонив на плечо голову. Он стоял спиной ко мне. Его длинная, угловатая фигура, словно вытесанная топором, резко выделялась в мягком лунном свете. Казалось, он чутко прислушивался к шуму реки, все отчетливее нарастающему ночью на перекатах. А может, он прислушивался еще к каким-то неуловимым для меня звукам и шорохам ночи. «Опять он задумал ночевать у реки, вот чудак!» — усмехнулся я.

Данияр недавно появился в нашем аиле. Как-то на сенокос прибежал мальчишка и говорит, что в аил пришел раненый солдат, а кто и чей, он не знает. Ох, что тут было! Ведь в аиле-то как: вернется кто-нибудь из фронтовиков, так все до едина, и старые и малые, гуртом бегут поглядеть на прибывшего, за ручку поздороваться, расспросить, не видал ли близких, послушать новости. Тут крик поднялся невообразимый, каждый гадал: может, наш брат вернулся, а может, сват? Ну и помчались косари узнать, в чем дело.

Оказывается, Данияр был коренным нашим земляком, уроженцем аила. Рассказывали, что в детстве он остался сиротой, года три мыкался по дворам, а потом подался к казахам в Чакмакскую степь – родственники по материнской линии у него казахи. Близких родных не было, чтобы вернуть мальчонку назад, так и позабыли о нем. Когда его спрашивали, как жилось ему после ухода из дому, Данияр отвечал уклончиво. И все-таки можно было понять, что он с лихвой хлебнул горюшка, вдоволь познал сиротскую долю. Жизнь гоняла Данияра, как перекати-поле, по разным краям. Он долгое время пас овец на Чакмакских солончаках, а когда подрос, рыл каналы в пустынях, работал в новых хлопкосовхозах, потом – на Ангренских шахтах, под Ташкентом, и оттуда ушел в армию.

Возвращение Данияра в родной аил народ встретил с одобрением. «Сколько ни мотало его по чужим краям, а вернулся – значит, суждено пить воду из родного арыка. И ведь не забыл своего языка, на казахский чуть сбивается, а так говорит чисто!»

«Тулпар[1] за тридевять земель отыщет свой косяк. Кому не дорога своя родина, свой народ! Молодец, что вернулся. И мы довольны, и духи твоих предков. Вот, бог даст, добьем германа, заживем мирно, и ты, как и другие, обзаведешься семьей, и у тебя взовьется свой дымок над очагом!» – говорили старые аксакалы.

Припомнив предков Данияра, они точно установили, из какого он рода. Так появился в нашем аиле «новый родич» – Данияр.

И вот бригадир Орозмат привел к нам на сенокос высокого сутуловатого солдата, прихрамывающего на левую ногу. Перекинув шинель через плечо, он порывисто шагал, стараясь не отставать от семенящей иноходью приземистой кобыленки Орозмата. А сам бригадир рядом с длинным Данияром своим небольшим росточком и подвижностью чем-то напоминал беспокойного речного кулика. Ребята даже рассмеялись.

Раненая нога Данияра, тогда еще не совсем зажившая, не сгибалась в коленке,

_____

[1] *Тулпар* – сказочный скакун.

потому в косари он не годился и его назначили к нам, ребятам, на сенокосилки. Скажу по чести, не очень-то он нам понравился. Прежде всего не пришлась нам по душе его замкнутость. Говорил Данияр мало, а если и говорил, то чувствовалось, что думает он в это время о чем-то другом, постороннем, что у него какие-то свои мысли, и не поймешь, видит он тебя или не видит, хотя и глядит прямо тебе в лицо своими задумчиво-мечтательными глазами.

— Бедный парень, видать, все еще не может опомниться после фронта! — говорили про него.

Но что интересно — при такой вот постоянной задумчивости Данияр работал быстро, точно, и со стороны можно было подумать, что он общительный и открытый человек. Может быть, трудное сиротское детство приучило его скрывать свои чувства и мысли, выработало в нем такую сдержанность? Возможно и так.

Тонкие губы Данияра с твердыми морщинками по углам всегда были плотно сомкнуты, глаза смотрели печально, спокойно, и только гибкие, подвижные брови оживляли его худощавое, всегда усталое лицо. Иногда он настораживался, словно услышал что-то недоступное другим, и тогда взлетали у него брови и глаза загорались непонятным восторгом. А потом он долго улыбался и радовался чему-то. Нам все это казалось странным. Да и не только это, у него были и другие странности. Вечером мы выпрягали лошадей, собирались у шалаша и ждали, когда кухарка сварит еду, а Данияр взбирался на караульную сопку[1] и просиживал там дотемна.

— Что он там делает, на дозор поставлен, что ли? — смеялись мы.

Однажды и я ради любопытства полез за Данияром на сопку. Казалось бы, ничего особенного здесь не было. Широко простиралась окрест предгорная степь, погруженная в сиреневые сумерки. Темные, смутные поля, казалось, медленно растворялись в тишине.

Данияр даже не обратил внимания на мой приход; он сидел, обхватив колено, и смотрел куда-то перед собой задумчивым, но светлым взглядом. И опять мне показалось, что он напряженно вслушивается в какие-то не доходящие до моего слуха звуки. Порой он настораживался и замирал с широко раскрытыми глазами. Его что-то томило, и мне думалось, что вот

---

[1] *Караульная сопка* — возвышенность, откуда обозревается вся окрестность. Это название осталось у киргизов со времен набегов кочевых племен.

сейчас он встанет и распахнет свою душу, только не передо мной — меня он не замечал, — а перед чем-то огромным, необъятным, неведомым мне. А потом я глянул и не узнал его: понуро и вяло сидел Данияр, будто просто отдыхал после работы.

Сенокосы нашего колхоза разбросаны по угодьям в пойме реки Куркуреу. Недалеко от нас Куркуреу вырывается из ущелья и несется по долине необузданным, бешеным потоком. Пора косовицы — это пора половодья горных рек. С вечера начинала прибывать вода, замутненная, пенистая. В полночь я просыпался в шалаше от могучего содрогания реки. Синяя, отстоявшаяся ночь заглядывала звездами в шалаш, порывами налетал холодный ветер, спала земля, и только ревущая река, казалось, угрожающе надвигалась на нас. Хотя мы находились и не у самого берега, ночью вода была так близко ощутима, что невольно нападал страх: а вдруг снесет, вдруг смоет нас? Товарищи мои спали непробудным сном косарей, а я не мог уснуть и выходил из шалаша.

Красива и страшна ночь в поймище Куркуреу. Там и здесь темнеют на лугу стреноженные лошади. Они напаслись вдоволь на росистой траве и сейчас, изредка пофыркивая, чутко дремлют. А рядом, сгибая исхлестанный мокрый тальник, набегая на берег, глухо перекатывает камни Куркуреу. Неистовым, грозным шумом наполняет ночь неумолчная река. Жуть берет. Страшно.

В такие ночи я всегда вспоминал о Данияре. Он обычно ночевал в копнах у самого берега. Неужели ему не страшно? Как только он не глохнет от шума реки? Спит он или нет? Почему он ночует один у реки? Что он находит в этом? Странный человек, не от мира сего. Где же он сейчас? Смотрю по сторонам — никого не видать. Пологими холмами уходят вдаль берега, в темноте проступают гребни гор. Там, в верховьях, тихо и звездно.

Казалось бы, пора было уже Данияру завести в аиле друзей. Но он по-прежнему оставался одиноким, словно ему было чуждо понятие дружбы или вражды, симпатии или зависти. А ведь в аиле тот джигит на виду, который может постоять за себя и за других, кто способен сделать добро, а порой и зло причинить, кто, не уступая аксакалам, распоряжается на пиршествах и поминках, — такие и у женщин на примете.

А если человек, подобно Данияру, держится в стороне, не вмешиваясь в повседневные дела аила, то одни его просто не замечают, а другие снисходительно говорят:

— Никому от него ни вреда, ни пользы. Живет, бедняга, перебивается кое-как, ну и ладно...

Такой человек, как правило, является предметом насмешек или жалости. А мы, подростки, которым всегда хотелось казаться старше своего возраста, чтобы быть на равной ноге с истинными джигитами, конечно, не прямо в лицо, а между собой, постоянно смеялись над Данияром. Мы смеялись даже над тем, что он сам стирал свою гимнастерку в реке. Выстирает — и еще не просохшую наденет: она у него была одна.

Но странное дело, казалось бы, тихий и безобидный был Данияр, а мы так и не решались обходиться с ним запанибрата. И не потому, что он был старше нас, — подумаешь, три или четыре года разницы, с такими мы не церемонились и называли их на «ты», — и не потому, что он был суров или важничал, что подчас внушает подобие уважения, нет, что-то недоступное таилось в его молчаливой, угрюмой задумчивости, и это сдерживало нас, готовых поднять на смех кого угодно.

Возможно, поводом для нашей сдержанности послужил один случай. Я был очень любопытным малым и нередко надоедал людям своими вопросами, и расспрашивать фронтовиков о войне было моей настоящей страстью. Когда Данияр появился у нас на сенокосе, я все искал подходящий случай выведать что-нибудь у нового фронтовика.

Вот сидели мы как-то вечером после работы у костра, поели и спокойно отдыхали.

— Данике, расскажи что-нибудь о войне, пока спать не легли, — попросил я.

Данияр сперва промолчал и вроде бы даже обиделся. Он долго смотрел на огонь, потом поднял голову и глянул на нас.

— О войне, говоришь? — спросил он и, будто отвечая на свои собственные раздумья, глухо добавил: — Нет, лучше вам не знать о войне!

Потом он повернулся, взял охапку сухого бурьяна и, подбросив ее в костер, принялся раздувать огонь, не глядя ни на кого из нас.

Больше Данияр ничего не сказал. Но даже из этой короткой фразы, которую он произнес, стало понятно, что нельзя вот так, просто говорить о войне, что из этого не получится сказка на сон грядущий. Война кровью запеклась в глубине человеческого сердца, и рассказывать о ней нелегко. Мне было стыдно перед самим собой. И я никогда уже не спрашивал у Данияра о войне.

Однако тот вечер быстро забылся, так же как и пропал в аиле интерес к самому Данияру.

На другой день рано утром мы с Данияром привели лошадей на ток, а к тому времени и Джамиля пришла. Еще издали, увидев нас, она крикнула:

— Ой, кичине бала, а ну веди моих коней сюда! А где мои хомуты? — И, будто всю жизнь была ездовым, принялась с деловым видом осматривать брички, пробуя ногой, хорошо ли подогнаны колесные втулки.

Когда мы с Данияром подъехали, вид наш показался ей потешным. Длинные худые ноги Данияра болтались в готовых вот-вот соскочить кирзовых сапогах с широченными голенищами. А я понукал лошадь босыми, задубелыми до черноты пятками.

— Ну и пара! — Джамиля весело вскинула голову. И, не мешкая, начала командовать нами: — Поживей давайте, чтоб до жары степь проехать!

Она схватила коней под уздцы, уверенно подвела их к бричке и принялась запрягать. И ведь сама запрягла, только один раз попросила меня показать, как налаживать вожжи. Данияра она не замечала, будто его и вовсе не было рядом.

Решительность и даже вызывающая самоуверенность Джамили, видно, поразили Данияра. Недружелюбно, но в то же время со скрытым восхищением он смотрел на нее, отчужденно сомкнув губы. Когда он молча поднял с весов мешок с зерном и поднес его к бричке, Джамиля накинулась на него:

— Это что же, каждый так и будет сам по себе тужиться? Нет, друг, так не пойдет, а ну давай сюда руку. Эй, кичине бала, что ты смотришь, лезь на бричку, укладывай мешки!

Джамиля сама схватила руку Данияра, и когда они вместе — на сомкнутых руках — подхватили мешок, он, бедняга, покраснел от смущения. И потом каждый раз, когда они подносили мешки, крепко сжимая друг другу руки, а головы их почти соприкасались, я видел, как мучительно неловко Данияру, как напряженно он кусает губы, как старается не глядеть в лицо Джамиле. А Джамиля хоть бы что, она, казалось, и не замечала своего напарника, перекидываясь шутками с весовщицей. Потом, когда брички были нагружены и мы взяли вожжи в руки, Джамиля, лукаво подмигнув, сказала сквозь смех:

— Эй ты, как тебя, Данияр, что ли? Ты же мужчина с виду, давай первым открывай путь!

Данияр опять молча рванул бричку с места. «Ох ты, горемыка, какой же ты ко всему еще и стыдливый!» — подумал я.

Путь нам предстоял дальний: километров двадцать по степи, потом через ущелье, к станции. Одно было хорошо: как выедешь и до самого места дорога все время идет под гору, лошадям не в тягость.

Наш аил Куркуреу раскинулся по берегу реки на склоне Великих гор. Пока не въедешь в ущелье, аил с его темнеющими купами деревьев всегда на виду.

За день мы успевали сделать только один рейс. Мы выезжали утром, а приезжали на станцию после полудня.

Солнце немилосердно палило, а на станции толчея, не пробьешься: брички, можары с мешками, съехавшиеся со всей долины, навьюченные ишаки и волы из дальних горных колхозов. Пригнали их мальчишки и солдатки, черные, в выгоревших одеждах, с разбитыми о камни босыми ногами и в кровь потрескавшимися от жары и пыли губами.

На воротах «Заготзерна» висело полотнище: «Каждый колос хлеба — фронту!» Во дворе — сутолока, толкотня, крики погонщиков. Рядом, за низеньким дувалом, маневрирует паровоз и, выбрасывая тугие клубы горячего пара, пышет угарным шлаком. Мимо с оглушительным ревом проносятся поезда. Раздирая слюнявые пасти, злобно и отчаянно орут верблюды, не желая подниматься с земли.

На приемном пункте под железной накаленной крышей горы зерна. Мешки надо нести по дощатому трапу наверх, под самую крышу. Густая хлебная духота, пыль спирает дыхание.

– Эй ты, парень, смотри у меня! – орет внизу приемщик с красными от бессонницы глазами. – Наверх тащи, на самый верх! – Он грозит кулаком и разражается бранью.

Ну чего он ругается? Ведь мы и так знаем, куда тащить, и дотащим. Ведь несем мы этот хлеб на своих плечах с самого поля, где по зернышку выращивали и собирали его женщины, старики и дети, где и сейчас, в горячую страдную пору, комбайнер бьется у истерзанного, давно отслужившего свой век комбайна, где спины женщин вечно согнуты над раскаленными серпами, где маленькие ребячьи руки бережно собирают каждый оброненный колос.

Я и сейчас еще помню, как тяжелы были мешки, которые я носил на плечах. Такая работа под стать самым крепким мужчинам. Я шел наверх, балансируя, по

скрипучим, прогибающимся доскам тра-
па, намертво закусив зубами край мешка,
чтобы только удержать его, не выпустить.
В горле першило от пыли, на ребра дави-
ла тяжесть, перед глазами стояли огнен-
ные круги. И сколько раз, ослабев на пол-
пути, чувствуя, как неумолимо сползает
со спины мешок, мне хотелось бросить его
и вместе с ним скатиться вниз. Но сзади
идут люди. Они тоже с мешками, они мои
ровесники, такие же юнцы, или солдатки,
у которых такие дети, как я. Если бы не
война, разве позволили бы им таскать та-
кие тяжести? Нет, я не имел права отсту-
пать, когда такую же работу выполняли
женщины.

Вон Джамиля идет впереди, подоткнув
платье выше колен, и я вижу, как напря-
гаются крутые мускулы на ее смуглых
красивых ногах, вижу, с каким усилием
держит она свое гибкое тело, пружинисто
сгибаясь под мешком. Иногда только при-
останавливается Джамиля, словно чув-
ствуя, что я слабею с каждым шагом.

— Крепись, кичине бала, немного оста-
лось!

А у самой голос незвонкий, придушен-
ный.

Когда мы, высыпав зерно, возвраща-
лись назад, навстречу нам попадался Да-

нияр. Он шел по трапу, чуть прихрамывая, сильным, мерным шагом, как всегда одинокий и молчаливый. Поравнявшись с нами, Данияр окидывал Джамилю мрачным, жгучим взглядом, а она, разгибая натруженную спину, оправляла измятое платье. Он так глядел на нее каждый раз, словно видел впервые, а Джамиля продолжала не замечать его.

Да, так уж повелось: Джамиля или смеялась над ним, или вовсе не обращала на него внимания. Это зависело от ее настроения. Вот едем мы по дороге, вдруг вздумается ей, и она крикнет мне: «Айда, пошли!» И, гикая и наворачивая над головой кнут, погонит лошадей вскачь. Я за ней. Мы обгоняли Данияра, оставляя его в густых облаках долго не оседающей пыли. Хотя это делалось в шутку, но не каждый бы стал такое терпеть. А вот Данияр, казалось, не обижался. Мы проносились мимо, а он с угрюмым восхищением смотрел на хохочущую Джамилю, стоявшую на бричке. Я оборачивался. Данияр смотрел на нее даже сквозь пыль. И было что-то доброе, всепрощающее в его взгляде, но еще я угадывал в нем упрямую, затаенную тоску.

Как насмешки, так и полное равнодушие Джамили ни разу не вывели из себя

Данияра. Он словно бы дал клятву – сносить все. Вначале мне было его жалко, и я несколько раз говорил Джамиле:

– Ну зачем ты смеешься над ним, джене, ведь он такой безобидный!

– А ну его! – смеялась Джамиля и махала рукой. – Я ведь так просто, в шутку, ничего с этим бирюком не случится!

А потом и я стал подшучивать и подсмеиваться над Данияром не хуже самой Джамили. Меня начали беспокоить его странные упорные взгляды. Как он смотрел на нее, когда она взваливала себе мешок на плечи! Да и право, в этом гомоне, толкотне, в этой базарной сутолоке двора, среди мятущихся, охрипших людей Джамиля бросалась в глаза своими уверенными, точными движениями, легкой походкой, словно бы все это происходило на просторе.

И нельзя было не заглядеться на нее. Чтобы взять с борта брички мешок, Джамиля вытягивалась, изгибаясь, подставляла плечо и закидывала голову так, что обнажалась ее красивая шея и бурые от солнца косы почти касались земли. Данияр, как бы между делом, приостанавливался, а потом провожал ее взглядом до самых дверей. Наверно, он думал, что делает это незаметно, но я все примечал, и мне это начинало не нравиться и даже вроде бы оскорбляло мои чувства: ведь уж Данияра-то я никак не мог считать достойным Джамили.

«Подумать только, даже он заглядывается, а что же говорить о других!» — возмущалось все мое существо. И детский эгоизм, от которого я еще не освободился, разгорался жгучей ревностью. Ведь дети всегда ревнуют своих близких к чужим. И вместо жалости к Данияру я испытывал теперь к нему чувство такой неприязни, что злорадствовал, когда над ним смеялись.

Однако наши проделки с Джамилей окончились однажды весьма печально. Среди мешков, в которых мы возили зерно, был один огромный, на семь пудов, сшитый из шерстяного рядна. Обычно мы вдвоем управлялись с ним, одному это не под силу. И вот как-то на току мы решили подшутить над Данияром. Мы свалили этот огромный мешок в его бричку, а сверху завалили его другими. По пути мы с Джамилей забежали в русском селе в чей-то сад, нарвали яблок и всю дорогу смеялись; Джамиля кидалась яблоками в Данияра. А потом мы, как обычно, обогнали его, подняв тучу пыли. Нагнал он нас за ущельем, у железнодорожного переезда: путь был закрыт. Отсюда мы уже вместе прибыли на станцию, и как-то так получилось, что мы совершенно забыли об этом семипудовом мешке и вспомнили о нем, когда уже кончали разгрузку. Джамиля озорно толкнула меня в бок и кивнула в сторону Данияра. Он стоял на бричке, озабоченно рассматривая мешок, и, видно, обдумывал, как с ним быть. Потом огляделся по сторонам и, заметив, как Джамиля подавилась смешком, густо покраснел: он понял, в чем дело.

— Штаны подтяни, а то потеряешь на полдороге! — крикнула Джамиля.

Данияр метнул в нашу сторону злой взгляд, и не успели мы одуматься, как он передвинул мешок по дну брички, поставил его на ребро борта, спрыгнул, придерживая мешок одной рукой, и, взвалив его на спину, пошел. Сначала мы сделали вид, будто ничего особенного в этом нет. А другие и подавно ничего не заметили: идет человек с мешком, так ведь все идут. Но когда Данияр подходил к трапу, Джамиля догнала его.

— Брось мешок, я же пошутила!

— Уйди! — раздельно сказал он и пошел по трапу.

— Смотри, тащит! — вроде бы оправдываясь, проговорила Джамиля.

Она все еще тихонько посмеивалась, но смех ее становился каким-то неестественным, словно она вынуждала себя смеяться.

Мы заметили, что Данияр стал сильнее припадать на раненую ногу. Как же мы не подумали об этом раньше? До сих пор не могу простить себе этой дурацкой шутки, ведь это я, глупец, такое выдумал!

– Вернись! – крикнула Джамиля сквозь невеселый смех.

Но вернуться Данияр уже не мог: позади него шли люди.

Я толком не помню, что было дальше. Я видел Данияра, согнувшегося под большущим мешком, его низко склоненную голову и прикушенную губу. Он шел медленно, осторожно занося раненую ногу. Каждый новый шаг, видно, причинял ему такую боль, что он дергал головой и на секунду замирал. И чем выше он взбирался по трапу, тем сильнее качался из стороны в сторону. Его раскачивал мешок. И мне до того было страшно и стыдно, что даже в горле пересохло. Оцепенев от ужаса, я всем своим существом ощущал тяжесть его груза и нестерпимую боль в его раненой ноге. Вот опять его качнуло, он мотнул головой, и в глазах у меня все закачалось, потемнело, земля поплыла из-под ног.

Я очнулся от оцепенения, когда вдруг кто-то сильно, до ломоты в костях, сжал мою руку. Я не сразу узнал Джамилю. Белая-белая, с огромными зрачками в широко раскрытых глазах, а губы все еще вздрагивают от недавнего смеха. Тут уж не только мы, а и все, кто был, и приемщик тоже, сбежались к подножию трапа. Данияр сделал еще два шага, хотел поправить на спине мешок — и начал медленно опускаться на колено. Джамиля закрыла лицо руками.

— Бросай! Бросай мешок! — крикнула она.

Но Данияр почему-то не бросал мешок, хотя давно можно было свалить его боком с трапа в сторону, чтобы он не сбил идущих сзади. Услышав голос Джамили, он рванулся, выпрямил ногу, сделал еще шаг, и снова его замотало.

— Да бросай же ты, собачий сын! — заорал приемщик.

— Бросай! — закричали люди.

Данияр и на этот раз выстоял.

— Нет, он не бросит! — убежденно прошептал кто-то.

И, кажется, все — и те, что шли следом по трапу, и те, что стояли внизу, — поняли: не бросит он мешок, если только сам не свалится вместе с ним. Наступила мертвая тишина. За стеной, снаружи, отрывисто свистнул паровоз.

А Данияр, покачиваясь, как оглушенный, шел вверх под раскаленной железной крышей, прогибая доски трапа. Через каждые два шага он приостанавливался, теряя равновесие, и, снова собрав силы, шел дальше. Те, что шли сзади, старались подладиться к нему и тоже приостанавливались. Это выматывало людей, они выбивались из сил, но никто не возмутился, никто не обругал его. Будто связанные невидимой веревкой, люди шли со своей ношей, как по опасной, скользкой тропе, где жизнь одного зависит от жизни другого. В их согласном безмолвии и однообразном покачивании был единственный тяжелый ритм. Шаг, еще шаг за Данияром, и еще шаг. С каким состраданием и мольбой, стиснув зубы, смотрела на него солдатка, что шла за ним следом! У нее у самой подкашивались ноги, но она молилась о нем.

Уже осталось немного, скоро кончится наклонная часть трапа. Но Данияр опять зашатался, раненая нога уже не подчинялась ему. Он, того гляди, сорвется, если не выпустит мешок.

– Беги! Поддержи сзади! – крикнула мне Джамиля, а сама растерянно протянула руки, будто могла этим помочь Данияру.

Я бросился вверх по трапу. Протискиваясь между людьми и мешками, я добежал до Данияра. Он глянул на меня из-под локтя. На потемневшем мокром лбу его вздулись жилы, налитые кровью глаза обожгли меня гневом. Я хотел поддержать мешок.

— Уйди! — грозно прохрипел Данияр и двинулся вперед.

Когда Данияр, тяжело дыша и прихрамывая, сошел вниз, руки у него висели как плети. Все молча расступились перед ним, а приемщик не выдержал и закричал:

— Ты что, парень, сдурел? Разве я не человек, разве я не разрешил бы тебе высыпать внизу? Зачем ты таскаешь такие мешки?

— Это — мое дело, — негромко ответил Данияр.

Он сплюнул в сторону и пошел к бричке. А мы не смели поднять глаза. Стыдно было и зло брало, что Данияр так близко к сердцу принял нашу дурацкую шутку.

Всю ночь мы ехали молча. Для Данияра это было естественно. Поэтому мы не могли понять, обижен он на нас или уже забыл обо всем. Но нам было тяжело, совесть мучила.

Утром, когда мы грузились на току, Джамиля взяла этот злополучный мешок, наступила ногой на край и разорвала его с треском.

— На, свою дерюгу! — Она швырнула мешок к ногам удивленной весовщицы. — И скажи бригадиру, чтоб второй раз не подсовывал таких!

— Да ты что? Что с тобой?

— А ничего!

Весь следующий день Данияр ничем не проявлял своей обиды, держался ровно и молчаливо, только прихрамывал больше обычного, особенно когда носил мешки. Видно, крепко разбередил вчера рану. И это все время напоминало нам о нашей вине перед ним. Вот если бы он засмеялся или пошутил, стало бы легче — на том и забылась бы наша размолвка.

Джамиля тоже делала вид, что ничего особенного не произошло. Гордая, она хоть и смеялась, но я видел, что весь день ей было не по себе.

Мы поздно возвращались со станции. Данияр ехал впереди. А ночь выдалась великолепная. Кто не знает августовских ночей с их далекими и в то же время близкими, необыкновенно яркими звездами! Каждая звездочка на виду. Вон одна из них, будто заиндевевшая по краям, вся в мерцании ледяных лучиков, с наивным удивлением смотрит на землю с темного неба. Мы ехали по ущелью, и я долго глядел на нее. Лошади в охотку рысили к дому, под колесами поскрипывала щебенка. Ветер доносил из степи горькую пыльцу цветущей полыни, едва уловимый аромат остывающего спелого жита, и все это, смешиваясь с запахом дегтя и потной конской сбруи, слегка кружило голову.

С одной стороны над дорогой нависли, поросшие шиповником, затененные скалы, а с другой, далеко внизу, в зарослях тальника и диких топольков, бурунилась неугомонная Куркуреу. Изредка где-то позади со сквозным грохотом пролетали через мост поезда и, удаляясь, долго уносили за собой перестук колес.

Хорошо было ехать по прохладе, смотреть на колышущиеся спины лошадей, слушать августовскую ночь, вдыхать ее запахи! Джамиля ехала впереди меня. Бросив вожжи, она смотрела по сторонам и что-то тихонько напевала. Я понимал: ее тяготило наше молчание. В такую ночь невозможно молчать, в такую ночь хочется петь!

И она запела. Запела, быть может, еще и потому, что хотела как-то вернуть прежнюю непосредственность в наших отношениях с Данияром, хотела заглушить чувство своей вины перед ним. Голос у нее был звонкий, задорный, и пела она обыкновенные аильные песенки, вроде «Шелковым платочком помашу тебе» или «В дальней дороге милый мой». Знала она много песенок и пела их просто и задушевно, так что слушать ее было приятно. Но вдруг она оборвала песню и крикнула Данияру:

— Эй ты, Данияр, спел бы хоть что-нибудь! Джигит ты или кто?

— Пой, Джамиля, пой! — смущенно отозвался Данияр, попридержав лошадей. — Я слушаю тебя, оба уха навострил!

— А ты думаешь, у нас, что ли, ушей нет! Подумаешь, не хочешь — не надо! — И Джамиля снова запела.

Кто знает, зачем она просила его петь! Может, просто так, а может, хотела вызвать его на разговор? Скорее всего ей хотелось поговорить с ним, потому что спустя немного времени она снова крикнула:

— А скажи, Данияр, ты любил когда-нибудь? — и засмеялась.

Данияр ничего не ответил. Джамиля тоже умолкла.

«Нашла кого просить петь!» — усмехнулся я.

У речушки, пересекавшей дорогу, лошади, цокая подковами по мокрым серебристым камням, замедлили ход. Когда мы миновали брод, Данияр подстегнул коней и неожиданно запел скованным, прыгающим на выбоинах голосом:

Горы мои, сине-белые горы,
Земля моих дедов, моих отцов!

Он вдруг запнулся, закашлялся, но уже следующие две строчки вывел глубоким, грудным голосом, правда, чуть с хрипотцой:

Горы мои, сине-белые горы,
Колыбель моя...

Тут он снова осекся, будто испугался чего-то, и замолчал.

Я живо представил себе, как он смутился. Но даже в этом робком прерывистом пении было что-то необыкновенно взволнованное, и голос, должно быть, у него был хороший, просто не верилось, что это Данияр.

— Ты смотри! — не удержался я.

А Джамиля даже воскликнула:

— Где же ты был раньше? А ну, пой, пой как следует!

Впереди обозначился просвет — выход из ущелья в долину. Оттуда подул ветерок. Данияр снова запел. Начал он так же робко, неуверенно, но постепенно голос его набрал силу, заполнил собой ущелье, отозвался эхом в далеких скалах.

Больше всего меня поразило, какой страстью, каким горением была насыщена сама мелодия. Я не знал, как это назвать, да и сейчас не знаю, вернее, не могу определить: только ли это голос или еще что-то более важное, что исходит из души человека, что-то такое, что способно вызвать у другого такое же волнение, способно оживить самые сокровенные думы.

Если бы я только мог хоть в какой-то мере воспроизвести песню Данияра! В ней, почти не было слов, без слов раскрывала она большую человеческую душу. Ни до этого, ни после — никогда я не слышал такой песни: она не походила ни на киргизские, ни на казахские напевы, но в ней было и то и другое. Музыка Данияра вобрала в себя все самые лучшие мелодии двух родных народов и по-своему сплела их в единую, неповторимую песню. Это была песня гор и степей, то звонко взлетающая, как горы киргизские, то раздольно стелющаяся, как степь казахская.

Я слушал и диву давался: «Так вот он, оказывается, какой, Данияр! Кто бы мог подумать?»

Мы уже ехали степью по мягкой, наезженной дороге, и напев Данияра теперь разворачивался вширь, новые и новые мелодии с удивительной гибкостью сменяли одна другую. Неужели он так богат? Что с ним произошло? Словно он только и ждал своего дня, своего часа!

И мне вдруг стали понятны его странности, которые вызывали у людей и недоумение и насмешки: его мечтательность, любовь к одиночеству, его молчаливость. Я понял теперь, почему он просиживал целые вечера на караульной сопке и почему оставался один на ночь у реки, почему он постоянно прислушивался к неуловимым для других звукам и почему иногда вдруг загорались у него глаза, взлетали обычно настороженные брови. Это был человек глубоко влюбленный. И влюблен он был, почувствовал я, не просто в другого человека; это была какая-то другая, огромная любовь — к жизни, к земле. Да, он хранил эту любовь в себе, в своей музыке, он жил ею. Равнодушный человек не мог бы так петь, каким бы он ни обладал голосом.

Когда, казалось, угас последний отзвук песни, ее новый трепетный порыв словно пробудил дремлющую степь. И она благодарно слушала певца, обласканная родным ей напевом. Широким плесом колыхались спелые сизые хлеба, ждущие жатвы, и предутренние блики перебегали по полю. Могучая толпа старых верб на мельнице шелестела листвой, за речкой догорали костры полевых станов, и кто-то, как тень, бесшумно скакал по-над берегом, в сторону аила, то исчезая в садах, то появляясь опять.

Ветер доносил оттуда запах яблок, молочно-парной медок цветущей кукурузы и теплый дух подсыхающих кизяков.

Долго, самозабвенно пел Данияр. Притихнув, слушала его зачарованная августовская ночь. И даже лошади давно уже перешли на мерный шаг, будто боялись нарушить это чудо.

И вдруг на самой высокой, звенящей ноте Данияр оборвал песню и, гикнув, погнал лошадей вскачь.

Я думал, что и Джамиля устремится за ним, и тоже приготовился, но она не шелохнулась. Как сидела, склонив голову на плечо, так и осталась сидеть, будто все еще прислушивалась к витающим где-то в воздухе неостывшим звукам. Данияр уехал, а мы до самого аила не проронили ни слова. Да и надо ли было говорить? Ведь словами не всегда и не все выскажешь...

С этого дня в нашей жизни, казалось, что-то изменилось. Я теперь постоянно ждал чего-то хорошего, желанного. С утра мы грузились на току, прибывали на станцию, и нам уже не терпелось побыстрее выехать, чтобы на обратном пути слушать песни Данияра. Его голос вселился в меня, он преследовал меня на каждом шагу: с ним по утрам я бежал через мокрый, росистый люцерник к стреноженным лоша-

дям, а солнце, смеясь, выкатывалось из-
за гор навстречу мне. Я слышал этот го-
лос и в мягком шелесте золотистого дож-
дя пшеницы, подкинутой на ветер стари-
ками веяльщиками, и в плавном, кружа-
щем полете одинокого коршуна в степной
выси,— во всем, что видел я и слышал, мне
чудилась музыка Данияра.

А вечером, когда мы ехали по ущелью,
мне каждый раз казалось, что я переношусь
в иной мир. Я слушал Данияра, прикрыв
глаза, и передо мной вставали удивительно
знакомые, родные с детства картины: то
проплывало в журавлиной выси над юрта-
ми весеннее кочевье нежных, дымчато-го-
лубых облаков; то проносились по гудящей
земле с топотом и ржанием табуны на лет-
ние выпасы, и молодые жеребцы с нестри-
жеными челками и черным диким огнем в
глазах гордо и ошалело обегали на ходу сво-
их маток; то спокойной лавой разворачи-
вались по пригоркам отары овец; то сры-
вался со скалы водопад, ослепляя глаза бе-
лизной всклокоченной кипени; то в степи
за рекой мягко опускалось в заросли чия
солнце, и одинокий далекий всадник на ог-
нистой кайме горизонта, казалось, скакал
за ним — ему рукой подать до солнца — и
тоже тонул в зарослях и сумерках.

Широка за рекой казахская степь. Раз-
двинула она по обе стороны наши горы и
лежит суровая, безлюдная...

Но в то памятное лето, когда грянула война, загорелись огни по степи, затуманили ее горячей пылью табуны строевых коней, поскакали гонцы во все стороны. И помню, как с того берега кричал скачущий казах гортанным пастушьим голосом:

— Садись, киргизы, в седла: враг пришел! — и мчался дальше в вихрях пыли и волнах знойного марева.

Всех подняла на ноги степь, и в торжественно-суровом гуле двинулись с гор и по долинам наши первые конные полки. Звенели тысячи стремян, глядели в степь тысячи джигитов, впереди на древках колыхались красные знамена, позади, за копытной пылью, бился о землю скорбно-величественный плач жен и матерей: «Да поможет вам степь, да поможет вам дух нашего богатыря Манаса!»

Там, где шел на войну народ, оставались горькие тропы...

И весь этот мир земной красоты и тревог раскрывал передо мной Данияр в своей песне. Где он этому научился, от кого он все это слышал? Я понимал, что так мог любить свою землю только тот, кто всем сердцем тосковал по ней долгие годы, кто выстрадал эту любовь. Когда он пел, я видел и его самого, маленького мальчика, скитающегося по степным дорогам. Может, тогда и родились у него в душе песни о родине? А может, тогда, когда он шагал по огненным верстам войны?

Слушая Данияра, я хотел припасть к земле и крепко, по-сыновьи обнять ее только за то, что человек может так ее любить. Я впервые почувствовал тогда, как проснулось во мне что-то новое, чего я еще не умел назвать, но это было что-то неодолимое, это была потребность выразить себя, да, выразить, не только самому видеть и ощущать мир, но и донести до других свое видение, свои думы и ощущения, рассказать людям о красоте нашей земли так же вдохновенно, как умел это делать Данияр. Я замирал от безотчетного страха и радости перед чем-то неизвестным. Но я тогда еще не понимал, что мне нужно взять в руки кисть.

Я любил рисовать с детства. Я срисовывал картинки с учебников, и ребята говорили, что у меня получается «точь-в-точь». Учителя в школе тоже хвалили меня, когда я приносил рисунки в нашу стенгазету. Но потом началась война, братья ушли в армию, а я бросил школу и пошел работать в колхоз, как и все мои сверстники. Я забыл про краски и кисти и не думал, что когда-нибудь вспомню про них. Но песни Данияра всполошили мою душу. Я ходил точно во сне и смотрел на мир изумленными глазами, будто видел все впервые.

А как изменилась вдруг Джамиля! Словно и не было той бойкой, языкастой хохотушки. Весенняя светлая грусть застилала ее притушенные глаза. В дороге она постоянно о чем-то упорно думала. Смутная, мечтательная улыбка блуждала на ее губах, она тихо радовалась чему-то хорошему, о чем знала только она одна. Бывало, взвалит мешок на плечи, да так и стоит, охваченная непонятной робостью, точно перед ней бурный поток и она не знает, идти ей или не идти. Данияра она сторонилась, не смотрела ему в глаза.

Однажды на току Джамиля сказала ему с бессильной, вымученной досадой:

— Снял бы ты, что ли, свою гимнастерку. Давай постираю!

И потом, выстирав в реке гимнастерку, она разложила ее сушить, а сама села подле и долго, старательно разглаживала ее ладонями, рассматривала на солнце потертые плечи, покачивала головой и снова принималась разглаживать, тихо и грустно.

Только один раз за это время Джамиля громко, заразительно смеялась, и у нее, как прежде, сияли глаза. На ток шумной гурьбой завернули мимоходом со скирдовки люцерны молодые женщины, девушки и джигиты — бывшие фронтовики.

— Эй, баи, не вам одним пшеничный хлеб есть, угощайте, а не то в реку покидаем! — И джигиты шутя выставили вилы.

— Нас вилами не запугаешь! Подружек своих найду чем угостить, а вы сами промышляйте! — звонко отозвалась Джамиля.

— Раз так, всех вас в воду!

И тут схватились девушки и парни. С криком, визгом, смехом они толкали друг друга в воду.

— Хватай их, тащи! — громче всех смеялась Джамиля, быстро и ловко увертываясь от нападающих.

Но странное дело, джигиты точно и видели только одну Джамилю. Каждый старался схватить ее, прижать к себе. Вот трое парней разом обхватили ее и занесли над берегом.

— Целуй, а нет — бросим!

— Давай раскачивай!

Джамиля изворачивалась, хохотала, запрокинув голову, и сквозь смех звала на помощь подруг. Но те суматошно бегали по берегу, вылавливая свои косынки. Под дружный хохот джигитов Джамиля полетела в реку. Она вышла из воды с растрепанными мокрыми волосами, но даже еще

красивее, чем была. Мокрое ситцевое пла-
тье прилипло к телу, облегая округлые
сильные бедра, девичью грудь, а она, ни-
чего не замечая, смеялась, покачиваясь, и
по ее разгоряченному лицу стекали весе-
лые ручейки.

– Целуй! – приставали джигиты.

Джамиля целовала их, но снова лете-
ла в воду и снова смеялась, откидывая кив-
ком головы мокрые, тяжелые пряди во-
лос.

Над затеей молодых все на току смея-
лись. Старики веяльщики, побросав лопа-
ты, вытирали слезы, морщины на их бу-
рых лицах лучились радостью и ожившей
на миг молодостью. И я смеялся от души,
забыв на этот раз о своем ревностном дол-
ге оберегать Джамилю от джигитов.

Не смеялся один Данияр. Я случайно
заметил его и умолк. Он одиноко стоял на
краю гумна, широко расставив ноги. Мне
показалось, что он сорвется сейчас, побе-
жит и выхватит Джамилю из рук джиги-
тов. Он смотрел на нее, не отрываясь, груст-
ным, восхищенным взглядом, в котором
сквозили и радость и боль. Да, и счастье и
горе его были в красоте Джамили. Когда
джигиты прижимали ее к себе, заставляя
целовать каждого, он опускал голову, де-
лал движение, чтобы уйти, но не уходил.

Между тем и Джамиля заметила его. Она сразу оборвала смех и потупилась.

– Побаловались, и хватит! – неожиданно осадила она разошедшихся джигитов.

Кто-то еще попытался обнять ее.

– Отстань! – Джамиля отпихнула парня, вскинула голову, мельком бросила виноватый взгляд в сторону Данияра и побежала в кусты выжимать платье.

Мне не все еще было ясно в их отношениях, да я, признаться, и боялся думать об этом. Но почему-то мне было не по себе, когда я замечал, что Джамиля становится грустной оттого, что сама же сторонится Данияра. Лучше бы уж она по-прежнему смеялась и подшучивала над ним. Но в то же время меня охватывала необъяснимая радость за них, когда мы возвращались по ночам в аил и слушали пение Данияра.

По ущелью Джамиля ехала на бричке, а в степи слезала и шла пешком. Я тоже шел пешком, так лучше: идти по дороге и слушать. Сперва мы шли каждый около своей брички, но шаг за шагом, сами не замечая того, все ближе и ближе подходили к Данияру. Какая-то неведомая сила влекла нас к нему, хотелось разглядеть в темноте выражение его лица и глаз. Неужели это он поет, нелюдимый, угрюмый Данияр!

И каждый раз я замечал, как Джамиля, потрясенная и растроганная, медленно тянула к нему руку, но он не видел этого, он смотрел куда-то вверх, далеко, подперев затылок ладонью, и покачивался из стороны в сторону, а рука Джамили безвольно опускалась на грядку брички. Тут она вздрагивала, резко отдергивала руку и останавливалась. Она стояла посреди дороги, понурая, ошеломленная, долго-долго смотрела ему вслед, потом снова шла.

Порой мне казалось, что мы с Джамилей встревожены каким-то одним, одинаково непонятным чувством. Может быть, это чувство было давно запрятано в наших душах, а теперь пришел его день?

В работе Джамиля еще забывалась, но в те редкие минуты нашего отдыха, когда мы задерживались на току, она не находила себе места. Она слонялась возле веяльщиков, бралась им помогать, высоко и сильно вскидывала на ветер несколько лопат пшеницы, потом вдруг бросала лопату и уходила прочь, к скирдам соломы. Здесь она садилась в холодке и, точно боясь одиночества, звала меня:

— Иди сюда, кичине бала, посидим!

Я всегда ждал, что она скажет мне что-то важное, объяснит, что тревожит ее. Но она ничего не говорила. Молча клала она мою голову к себе на колени, глядя куда-то вдаль, ерошила мои колючие волосы и нежно гладила меня по лицу дрожащими горячими пальцами. Я смотрел на нее снизу вверх, на это лицо, полное смутной тревоги и тоски, и, казалось, узнавал в ней себя. Ее тоже что-то томило, что-то копилось и созревало в ее душе, требуя выхода. И она страшилась этого. Она мучительно хотела и в то же время мучительно не хотела признаться себе, что влюблена, так же как и я желал и не желал, чтобы она любила Данияра. Ведь в конце-то концов она невестка моих родителей, она жена моего брата!

Но такие мысли лишь на мгновение пронизывали меня. Я гнал их прочь. Для меня тогда истинным наслаждением было видеть ее по-детски приоткрытые, чуткие губы, видеть ее глаза, затуманенные слезами. Как хороша, как красива она была, каким светлым одухотворением и страстью дышало ее лицо! Тогда я только видел все это, но не все понимал. Да и теперь я часто задаю себе вопрос: может быть, любовь — это такое же вдохновение, как вдохновение художника, поэта? Глядя на Джамилю, мне хотелось убежать в степь и криком кричать, вопрошая землю и небо, что же мне делать, как мне побороть в себе эту непонятную тревогу и эту непонятную радость. И однажды я, кажется, нашел ответ.

Мы, как обычно, ехали со станции. Уже опускалась ночь, кучками роились звезды в небе, степь клонило ко сну, и только песня Данияра, нарушая тишину, звенела и угасала в мягкой темной дали. Мы с Джамилей шли за ним.

Но что случилось в этот раз с Данияром? В его напеве было столько нежной, проникновенной тоски и одиночества, что слезы к горлу подкатывались от сочувствия и сострадания к нему.

Джамиля шла, склонив голову, и крепко держалась за грядку брички. И когда голос Данияра начал снова набирать высоту, Джамиля вскинула голову, прыгнула на ходу в бричку и села рядом с ним. Она сидела окаменевшая, сложив на груди руки. Я шел рядом, забегая чуть вперед, и смотрел на них сбоку. Данияр пел, казалось, не замечая возле себя Джамили. Я увидел, как ее руки расслабленно опустились и она, прильнув к Данияру, легонько прислонила голову к его плечу. Лишь на мгновение, как перебой подстегнутого иноходца, дрогнул его голос – и зазвучал с новой силой. Он пел о любви!

Я был потрясен. Степь будто расцвела, всколыхнулась, раздвинула тьму, и я увидел в этой широкой степи двух влюбленных. А они и не замечали меня, словно меня и не было здесь. Я шел и смотрел, как они, позабыв обо всем на свете, вместе покачивались в такт песне. И я не узнавал их. Это был все тот же Данияр, в своей расстегнутой, потрепанной солдатской гимнастерке, но глаза его, казалось, горели в темноте. Это была моя Джамиля, прильнувшая к нему, но такая тихая и робкая, с поблескивающими на ресницах слезами. Это были новые, невиданно счастливые люди. Разве это не было счастьем? Ведь всю эту вдохновенную музыку Данияр целиком отдавал ей, он пел для нее, он пел о ней.

Мной опять овладело то самое непонятное волнение, которое всегда приходило с песнями Данияра. И вдруг мне стало ясно, чего я хочу. Я хочу нарисовать их.

Я испугался собственных мыслей. Но желание было сильнее страха. Я нарисую их такими вот счастливыми! Да, вот такими, какие они сейчас! Но смогу ли я? Дух захватывало от страха и радости. Я шел в сладко-пьяном забытьи. Я тоже был счастлив, потому что не знал еще, сколько трудностей доставит мне в будущем это дерзкое желание. Я говорил себе, что надо видеть землю так, как видит ее Данияр, я красками расскажу песню Данияра, у меня тоже будут горы, степь, люди, травы, облака, реки. Я даже думал тогда: «А где же я возьму краски? В школе не дадут: им самим нужны!» Будто все дело только и заключалось в этом.

Песня Данияра неожиданно оборвалась. Это Джамиля порывисто обняла его, но тут же отпрянула, замерла на мгновение, рванулась в сторону и спрыгнула с брички. Данияр нерешительно потянул вожжи, лошади остановились. Джамиля стояла на дороге, повернувшись к нему спиной, потом резко вскинула голову, глянула на него вполоборота и, сдерживая слезы, проговорила:

— Ну что ты смотришь! — и, помолчав, сурово добавила: — Не смотри на меня, езжай! — и пошла к своей бричке. — А ты чего уставился? — накинулась она на меня. — Садись, бери свои вожжи! Эх, горе мне с вами!

«Что это она вдруг?» — недоумевал я, погоняя лошадей. А догадаться-то ничего не стоило: нелегко ей было, ведь у нее законный муж, живой, где-то в саратовском госпитале. Но мне решительно не хотелось ни о чем думать. Я сердился на нее и на себя и, быть может, возненавидел бы Джамилю, если бы знал, что Данияр больше не будет петь, что мне уже никогда не доведется услышать его голос.

Смертельная усталость ломила тело, хотелось быстрее добраться до места и повалиться на солому. Колыхались в темноте спины рысивших лошадей, невыносимо тряслась бричка, вожжи выскальзывали из рук.

На току я кое-как стянул хомуты, бросил их под бричку и, добравшись до соломы, упал. Данияр в этот раз сам отогнал лошадей пастись.

Но утром я проснулся с ощущением радости в душе. Я буду рисовать Джамилю и Данияра! Я зажмурил глаза и очень точно представил себе Данияра и Джамилю такими, какими я их изображу. Казалось, бери кисть и краски и рисуй.

Я побежал к реке, умылся и бросился к стреноженным лошадям. Мокрая, холодная люцерна сочно стегала по босым ногам, щипало потрескавшиеся, в цыпках ступни, но мне было хорошо. Я бежал и отмечал на ходу, что делалось вокруг. Солнце тянулось из-за гор, а к солнцу тянулся подсолнух, что случайно вырос над арыком. Жадно обступили его белоголовые горчаки, но он не сдавался: ловил, перехватывал у них своими желтыми язычками утренние лучи, поил тугую, плотную корзинку семян. А вот развороченный колесами переезд через арык, вода сочится по колеям. А вот сиреневый островок вымахавшей по пояс пахучей мяты. Я бегу по родимой земле, над моей головой носятся наперегонки ласточки. Эх, были бы краски, чтобы нарисовать и утреннее солнце, и бело-синие горы, и росистую люцерну, и этот подсолнух-дичок, что вырос у арыка!

Когда я вернулся на ток, мое радужное настроение сразу омрачилось. Я увидел хмурую, осунувшуюся Джамилю. Она, наверно, не спала в эту ночь: темные тени залегли у нее под глазами. Мне она не улыбнулась и не заговорила со мной. Но когда появился бригадир Орозмат, Джамиля подошла к нему и, не поздоровавшись, сказала:

— Забирайте свою бричку! Посылайте куда угодно, а на станцию ездить не буду!

— Ты чего это, Джамалтай, овод тебя укусил, что ли? — добродушно удивился Орозмат.

— Овод у телят под хвостом! А меня не допытывайте! Сказала, не хочу, и все тут!

Улыбка исчезла с лица Орозмата.

— Хочешь не хочешь, а возить зерно будешь! — Он стукнул костылем о землю. — Если обидел кто, скажи — костыль на его шее обломаю! А нет — не дури: хлеб солдатский возишь, у самой муж там! – И, круто повернувшись, он запрыгал на своем костыле.

Джамиля смутилась, зарделась вся и, глянув в сторону Данияра, тихонько вздохнула. Данияр стоял чуть поодаль, спиной к ней, и рывками стягивал супонь на хомуте. Он слышал весь разговор. Джамиля постояла еще немного, теребя в руке кнут, потом отчаянно махнула рукой и пошла к своей бричке.

В этот день мы вернулись раньше обычного. Данияр всю дорогу гнал лошадей. Джамиля была мрачна и молчалива. А мне не верилось, что передо мною лежит выжженная, почерневшая степь. Ведь вчера она была совсем не такая. Будто в сказке я слышал о ней, и из головы не выходила перевернувшая мое сознание картина счастья. Казалось, я схватил какой-то самый яркий кусок жизни. Я представлял его себе во всех деталях, и только это волновало меня. И не успокоился я до тех пор, пока не выкрал у весовщицы плотный лист белой бумаги. Я забежал за скирды с колотящимся в груди сердцем и положил его на деревянную, гладко обструганную лопату, которую по пути стащил у веяльщиков.

– Благослови, аллах! – прошептал я, как когда-то отец, впервые сажая меня на коня, и тронул карандашом бумагу. Это были первые, неумелые штрихи. Но когда на листе обозначились черты Данияра, я забыл обо всем! Мне уже казалось, что на бумагу легла та августовская ночная степь, мне казалось, что я слышу песню Данияра и вижу его самого, с запрокинутой головой и обнаженной грудью, и вижу Джамилю, прильнувшую к его плечу. Это был мой первый самостоятельный рисунок: вот бричка, а вот они оба, вот вожжи, брошенные на передок, спины лошадей колышутся в темноте, а дальше степь, далекие звезды.

Я рисовал с таким упоением, что не замечал ничего вокруг, и очнулся, когда надо мной раздался чей-то голос:

— Ты что, оглох, что ли?

Это была Джамиля. Я растерялся, покраснел и не успел спрятать рисунок.

— Брички давно нагружены, целый час кричим не докричимся! Ты что тут делаешь?.. А это что? — спросила она и взяла рисунок. — Гм! — Джамиля сердито вздернула плечи.

Я готов был провалиться сквозь землю. Джамиля долго-долго рассматривала рисунок, потом подняла на меня опечаленные, повлажневшие глаза и тихо сказала:

– Отдай мне это, кичине бала... Я спрячу на память... – И, сложив лист вдвое, она сунула его за пазуху.

Мы уже выехали на дорогу, а я никак не мог прийти в себя. Как во сне все это произошло. Не верилось, что я нарисовал нечто похожее на то, что видел. Но где-то в глубине души уже поднималось наивное ликование, даже гордость, и мечты – одна другой дерзновеннее, одна другой заманчивее – кружили мне голову. Я уже хотел написать множество разных картин, но не карандашом, а красками. И я не обращал внимания на то, что мы ехали очень быстро. Это Данияр так гнал лошадей. Джамиля не отставала. Она глядела по сторонам, порой чему-то улыбалась, трогательно и виновато. И я улыбался: значит, она уже не сердится на нас с Данияром, и если попросит, то Данияр споет сегодня.

На станцию мы приехали в этот раз намного раньше обычного, зато лошади были взмылены. Данияр с ходу начал таскать мешки. Куда он спешил и что с ним творилось, трудно было понять. Когда мимо проходили поезда, он останавливался и провожал их долгим, задумчивым взглядом. Джамиля тоже смотрела туда, куда и он, словно пыталась понять, что у него на уме.

— Подойди-ка сюда, подкова болтается, помоги оторвать, — позвала она Данияра.

Когда Данияр сорвал подкову с копыта, зажатого между колен, и распрямился, Джамиля негромко заговорила, глядя ему в глаза:

— Ты что, или не понимаешь?.. Или на свете только я одна?..

Данияр молча отвел глаза.

— Думаешь, мне легко? — вздохнула Джамиля.

Брови Данияра взлетели, он посмотрел на нее с любовью и грустью и что-то сказал, но так тихо, что я не расслышал, а потом быстро зашагал к своей бричке, даже довольный чем-то. Он шел и поглаживал подкову. Я глядел на него и недоумевал: чем могли утешить его слова Джамили? Какое уж тут утешение, если человек говорит с тяжелым вздохом: «Думаешь, мне легко?..»

Мы уже кончили разгрузку и собирались уезжать, когда во двор зашел раненый солдат, худой, в помятой шинели, с вещевым мешком за плечами. За несколько минут до этого на станции остановился поезд. Солдат огляделся по сторонам, и крикнул:

— Кто тут из аила Куркуреу?

— Я из Куркуреу! — ответил я, раздумывая, кто бы это мог быть.

— А ты чей будешь, браток? — Солдат направился было ко мне, но тут он увидел Джамилю и удивленно и радостно заулыбался.

— Керим, это ты?! — воскликнула Джамиля.

— Ой, Джамиля, сестрица! — Солдат бросился к ней и сжал обеими руками ее ладонь.

Оказывается, это был земляк Джамили.

— Вот кстати-то! Как знал, завернул сюда! — возбужденно говорил он. — Ведь я только от Садыка, вместе лежали в госпитале, бог даст, и он через месяц-другой вернется. Когда прощались, сказал — напиши письмо жене, свезу... Вот оно, получай, в целости и сохранности. — И Керим протянул Джамиле треугольник.

Джамиля схватила письмо, вспыхнула, потом побелела и осторожно покосилась на Данияра. Он одиноко стоял возле брички, как тогда на гумне, широко расставив ноги, и глазами, полными отчаяния, смотрел на Джамилю. Тут со всех сторон сбежались люди, сразу нашлись у солдата и знакомые и родные, посыпались расспросы. А Джамиля не успела даже поблагодарить его за письмо, как мимо нее прогрохотала данияровская бричка, вырвалась со двора и, подпрыгивая на выбоинах, запылила по дороге.

— Очумел он, что ли! — закричали ему вслед. Солдата уже куда-то увели, а мы с Джамилей все еще стояли посреди двора и смотрели на удаляющиеся клубы пыли.

— Поедем, джене, — сказал я.

— Езжай, оставь меня одну! — с горечью ответила она.

Так, первый раз за все время мы ехали порознь. Горячая духота обжигала высохшие губы. Потрескавшаяся, выжженная земля, раскаленная за день добела, казалось, сейчас остывала, покрываясь соленой сединой. И в таком же соленом белесом мареве колыхалось на закате зыбкое, бесформенное солнце. Там, над смутным горизонтом, собирались оранжево-красные буревые тучки. Порывами налетал суховей, белой накипью оседая на конских мордах, и, тяжело откидывая гривы, уносился прочь, вороша по пригоркам метелки полыни.

«К дождю, что ли?» — думал я.

Каким бесприютным почувствовал я себя, какая тревога охватила меня! Я подстегивал лошадей, норовивших все время перейти на шаг. Тревожно пробежали куда-то в балку длинноногие сухопарые дрофы. На дорогу выносило пожухлые листья пустынных лопухов — таких у нас нет, их принесло откуда-то с казахской стороны. Закатилось солнце. Вокруг ни души. Только истомившаяся за день степь.

Когда я приехал на ток, было уже темно. Тишина, безветрие. Я крикнул Данияра.

— Он ушел к реке, — ответил сторож. — Духотища-то какая, все разошлись по домам. Без ветра на току и делать нечего!

Я отогнал лошадей пастись и решил завернуть к реке — я знал излюбленное место Данияра над обрывом.

Он сидел ссутулившись, склонив голову на колени, и слушал ревущую под обрывом реку. Мне захотелось подойти, обнять его и сказать ему что-нибудь хорошее. Но что я мог ему сказать? Я постоял немного в сторонке и вернулся. А потом долго лежал на соломе, смотрел на темнеющее в тучках небо и думал: «Почему так непонятна и сложна жизнь?»

Джамиля все еще не возвращалась. Куда она запропастилась? Мне не спалось, хотя морила усталость. Далекие зарницы вспыхивали над горами, в глубине туч.

Когда пришел Данияр, я еще не спал. Он бесцельно бродил по току, то и дело поглядывая на дорогу. А потом повалился за скирдой на солому возле меня. «Уйдет он куда-нибудь, не останется теперь в аиле! А куда ему идти? Одинокий, бездомный, кому он нужен?» И уже сквозь сон я услышал медленное постукивание приближающейся брички. Кажется, приехала Джамиля...

Не помню, сколько я проспал, только вдруг у самого уха зашуршали по соломе чьи-то шаги, будто мокрое крыло легко задело меня по плечу. Я открыл глаза. Это была Джамиля. Она пришла с реки в прохладном, отжатом платье. Джамиля остановилась, беспокойно огляделась по сторонам и села возле Данияра.

— Данияр, я пришла, сама пришла, — тихо сказала она.

Вокруг стояла тишина, бесшумно скользнула вниз молния.

— Ты обиделся? Очень обиделся, да?

И опять тишина, только с мягким всплеском оборвалась в реку подмытая глыба земли.

— Разве я виновата? И ты не виноват...

Над горами вдали прогромыхал гром. Профиль Джамили осветила молния. Она оглянулась и припала к Данияру. Плечи ее судорожно вздрагивали под руками Данияра. Вытянувшись на соломе, она легла рядом с ним.

Запыленный ветер набежал из степи, вихрем закружил солому, ударился в пошатнувшуюся юрту, что стояла на краю гумна, и кособоко заюлил волчком по дороге. И снова заметились в тучах синие всполохи, с сухим треском переломился над головой гром. Жутко и радостно стало — надвигалась гроза, последняя летняя гроза.

— Неужели ты думал, что я променяю тебя на него? — горячо шептала Джамиля. — Да нет же, нет! Он никогда не любил меня. Даже поклон и то в самом конце письма приписывал. Не нужен мне он со своей запоздалой любовью, пусть говорят что угодно! Родимый мой, одинокий, не отдам тебя никому! Я давно любила тебя. И когда не знала — любила и ждала тебя, и ты пришел, будто знал, что я тебя жду!

Голубые молнии одна за другой, изламываясь, вонзались под обрыв в реку. Зашуршали по соломе косые студеные капли дождя.

— Джамилям, Джамалтай! — шептал Данияр, называя ее самыми нежными казахскими и киргизскими именами. — Повернись, дай мне поглядеть тебе в глаза!

Гроза разразилась.

Забилась, хлопая крыльями, как подбитая птица, сорванная с юрты кошма. Бурными порывами, словно целуя землю, хлынул дождь, подстегнутый понизу ветром. Наискось, через все небо раскатывался могучими обвалами гром. Весенним палом тюльпанов зажигались на горах яркие вспышки зарниц. Гудел, неистовствовал в яру ветер.

Дождь лил, а я лежал, зарывшись в солому, и чувствовал, как бьется под рукой сердце. Я был счастлив. У меня было такое ощущение, будто я вышел впервые после болезни посмотреть на солнце. И дождь и свет молний доставали меня под соломой, но мне было хорошо, я засыпал, улыбаясь, и не понимал, то ли это шептались Данияр и Джамиля, то ли это шелестел по соломе стихающий дождь.

Теперь пойдут дожди, скоро осень. В воздухе уже настаивался по-осеннему влажный запах полыни и намокшей соломы. А что ожидало нас осенью? Об этом я почему-то не думал.

В ту осень после двухлетнего перерыва я снова пошел в школу. После уроков я частенько ходил к реке на кручи и сидел возле прежнего гумна, теперь заглохшего и опустевшего. Здесь я писал свои первые этюды ученическими красками. Даже по тогдашним моим понятиям мне не все удавалось.

«Краски негодные! Вот были бы настоящие краски!» – говорил я себе, хотя и не представлял, какими же они должны быть.

Лишь значительно позднее мне довелось увидеть настоящие масляные краски в свинцовых тюбиках.

Краски красками, а все же учителя, кажется, были правы: этому надо учиться. Но об учебе не приходилось мечтать. Где там, когда от братьев так и не было никаких вестей, и мать ни за что не отпустила бы меня, своего единственного сына, «джигита и кормильца двух семей»! Об этом я и не смел заговорить. А осень, как назло, выдалась такая красивая, только пиши ее.

Обмелела студеная Куркуреу, обнаженные валуны на перекатах поросли темнозеленым и оранжевым мхом. Краснел по ранним заморозкам голый нежный тальник, но топольки еще сберегли желтые плотные листья.

Прокопченные, омытые дождями юрты табунщиков чернели в поймище на порыжелой отаве, и над дымовыми отверстиями вились сизые пахучие струйки. По-осеннему голосисто ржали поджарые жеребцы – разбредались матки, и теперь уже до самой весны нелегко их будет удержать в косяках. Скот, вернувшийся с гор, гуртами бродил по стерне. Побуревшую, сухостойную степь вдоль и поперек пересекли ископыченные тропы.

Вскоре задул степняк, помутилось небо, пошли холодные дожди — предвестники снега. Как-то выдался сносный день, и я пошел к реке — уж очень приглянулся мне на отмели огненный куст горной рябины. Сел я неподалеку от брода, в тальнике. Вечерело. И вдруг я увидел двух людей, которые, судя по всему, перешли реку вброд. Это были Данияр и Джамиля. Я не мог оторвать глаз от их суровых, тревожных лиц. С вещевым мешком за плечами, Данияр шагал порывисто, полы распахнутой шинели хлестали по кирзовым голенищам его стоптанных сапог. Джамиля повязалась белым платком, сбитым сейчас на затылок, на ней было ее лучшее цветастое платье, в котором она любила щеголять по базару, а поверх него — вельветовый стеганый жакет. В одной руке она несла небольшой узелок, а другой держалась за лямку данияровского мешка. Они о чем-то перепаривались на ходу.

Вот они пошли тропой через лог по зарослям чия, а я смотрел им вслед и не знал, что делать. Может, окликнуть? Но язык точно присох к нёбу.

Последние багряные лучи скользнули по быстрой веренице пегих тучек вдоль гор, и сразу начало темнеть. А Данияр и Джамиля, не оглядываясь, уходили в сторону железнодорожного разъезда. Раза два еще мелькнули их головы в зарослях чия, а потом скрылись.

— Джамиля-а-а! — закричал я что было силы.

«А-а-а-а!» — бесприютно откликнулось эхо.

— Джамиля-а-а! — крикнул я еще раз и, не помня себя, бросился бежать за ними через реку, прямо по воде.

Тучи ледяных брызг летели мне в лицо, одежда намокла, а я бежал дальше, не разбирая пути, и вдруг со всего размаху упал на землю, обо что-то зацепившись. Я лежал, не поднимая головы, и слезы заливали мне лицо. Тьма будто навалилась мне на плечи. Тонко, тоскливо посвистывали гибкие стебли чия.

— Джамиля! Джамиля! — всхлипывал я, захлебываясь слезами.

Я расставался с самыми дорогими и близкими мне людьми. И только сейчас, лежа на земле, я вдруг понял, что любил Джамилю. Да, это была моя первая, еще детская любовь.

Долго лежал я, уткнувшись в мокрый локоть. Я расставался не только с Джамилей и Данияром, я расставался со своим детством.

Когда я прибрел впотьмах домой, во дворе был переполох, звенели стремена, кто-то седлал лошадей, а пьяный Осмон, гарцуя на коне, орал во всю глотку:

– Давно надо было гнать из аила эту приблудную собаку-полукровку! Срам, позор всему роду! Попадись он мне, убью на месте, пусть судят – не позволю, чтобы каждый бродяга уводил наших баб! Айда, садись, джигиты, никуда ему не уйти, догоним на станции!

Я похолодел: куда они поскачут? Но, убедившись, что погоня пошла по большой дороге на станцию, а не на разъезд, я незаметно прокрался в дом и завернулся с головой в отцовскую шубу, чтобы никто не видел моих слез.

Сколько разговоров и пересудов было в аиле! Женщины наперебой осуждали Джамилю.

– Дура она! Ушла из такой семьи, растоптала счастье свое!

– На что позарилась, спрашивается? Ведь у него добра только шинелишка да дырявые сапоги!

– Уж конечно, не полон двор скота! Безродный скиталец, бродяга – что на нем, то и его. Ничего, опомнится красотка, да поздно будет.

– Вот то-то и оно! А чем Садык не муж, чем не хозяин? Первый джигит в аиле!

– А свекровь? Такую свекровь не каждому бог дает! Пойди сыщи еще такую байбиче! Погубила она себя, дура, ни за что ни про что!

Может быть, только я один не осуждал Джамилю, свою бывшую джене. Пусть на Данияре старая шинель и дырявые сапоги, но я-то ведь знал, что душой он богаче всех нас. Нет, не верилось мне, что Джамиля будет несчастна с ним. Только жалко мне было мать. Мне казалось, что вместе с Джамилей ушла ее былая сила. Она приуныла, осунулась и, как я теперь понимаю, никак не могла примириться с тем, что жизнь иной раз так круто ломает старые устои. Если могучее дерево выворотит буря, оно уже не поднимется. Раньше мать никого не просила вдеть ей нитку в иголку: гордость не позволяла. А вот вернулся я однажды из школы и вижу: дрожат руки у матери и не видит она ушка иголки и плачет.

— На, вдень нитку! — попросила она и тяжело вздохнула. — Пропадет Джамиля. Эх, какой хозяйкой была бы она в семье! Ушла... Отреклась... А зачем ушла? Или худо ей было у нас?..

Мне захотелось обнять, успокоить мать, рассказать ей, что за человек Данияр, но я не посмел, я бы на всю жизнь оскорбил ее.

И все-таки мое невинное участие в этой истории перестало быть тайной...

Вскоре вернулся Садык. Он, конечно, горевал, хотя и говорил по пьянке Осмону:

– Ушла – туда ей и дорога. Подохнет где-нибудь. А на наш век баб хватит. Даже золотоволосая баба не стоит самого что ни на есть никудышного парня.

– Это-то верно! – отвечал Осмон. – Только жаль, не попался он мне тогда: убил бы, и все тут! А ее за волосы да к конскому хвосту! Небось на юг подались, на хлопок, или по казахам пошли, ему-то не впервой бродяжничать! Только вот в толк не возьму, как все получилось, и знать никто не знал, да и подумать бы никто не мог. Это она все, подлая, сама устроила! Я б ее!..

Слушая такие речи, мне так и хотелось сказать Осмону: «Не можешь забыть, как она тебя отчитала на сенокосе. Подлая ты душонка!»

И вот сидел я как-то дома, рисовал что-то для школьной стенгазеты. Мать хлопотала у печи. Вдруг в комнату ворвался Садык. Бледный, со злобно прищуренными глазами, он кинулся ко мне и сунул мне под нос лист бумаги.

– Это ты рисовал?

Я оторопел. Это был мой первый рисунок. Живые Данияр и Джамиля глянули в тот миг на меня.

– Я.

– Это кто? – ткнул он пальцем в бумагу.

– Данияр.

– Изменник! – крикнул мне в лицо Садык.

Он разорвал рисунок на мелкие клочки и вышел, с треском хлопнув дверью.

После долгого гнетущего молчания мать спросила:

– Ты знал?

– Да, знал.

С каким укором и недоумением смотрела она на меня, прислонившись к печи! И когда я сказал: «Я еще раз их нарисую!» – она горестно и бессильно покачала головой.

А я смотрел на клочки бумаги, валявшиеся на полу, и нестерпимая обида душила меня. Пусть считают меня изменником. Кому я изменил? Семье? Нашему роду? Но я не изменил правде, правде жизни, правде этих двух людей! Я никому не мог рассказать об этом, даже мать не поняла бы меня. В глазах у меня все расплывалось, клочки бумаги, казалось, кружились по полу, как живые. В память так врезался тот миг, когда Данияр и Джамиля глянули на меня с рисунка, что мне вдруг почудилось, будто я слышу песню Данияра, которую пел он в ту памятную августовскую ночь. Я вспомнил, как они уходили из аила, и мне нестерпимо захотелось выйти на дорогу, выйти, как они, смело и решительно, в трудный путь за счастьем.

– Я поеду учиться... Скажи отцу. Я хочу быть художником! – твердо сказал я матери.

Я был уверен, что она начнет укорять меня и заплачет, вспоминая погибших на войне братьев. Но, к моему удивлению, она не заплакала. Только грустно и тихо сказала:

— Поезжай... Оперились вы и по-своему крыльями машете... Да откуда нам знать, высоко ли взлетите? Может, и ваша правда. Поезжай... А может, там одумаешься. Не ремесло это — рисовать да малевать... Поучись — узнаешь... Да не забывай дом свой.

С того дня Малый дом отделился от нас. А я вскоре уехал учиться.

Вот и вся история.

В академию, куда меня послали после художественного училища, я представил свою дипломную работу — это была картина, о которой я давно мечтал.

Нетрудно догадаться, что на этой картине изображены Данияр и Джамиля. Они идут по осенней степной дороге. Перед ними широкая, светлая даль.

И пусть несовершенна моя картина — мастерство не сразу приходит, — но она мне бесконечно дорога, она мое первое, осознанное творческое беспокойство.

И сейчас бывают у меня неудачи, бывают и такие тяжелые минуты, когда я теряю веру в себя. И тогда меня тянет к этой родной мне картине, к Данияру и

Джамиле. Подолгу я смотрю на них и каждый раз веду с ними разговор.

Где вы сейчас, по каким дорогам шагаете? Много у вас теперь в степи новых дорог — по всему Казахстану до Алтая и Сибири! Много смелых людей трудится там. Может, и вы подались в те края? Ты ушла, моя Джамиля, по широкой степи, не оглядываясь. Может, ты устала, может, потеряла веру в себя? Прислонись к Данияру. Пусть он споет тебе свою песню о любви, о земле, о жизни! Пусть всколыхнется и заиграет всеми красками степь! Пусть вспомнится тебе та августовская ночь! Иди, Джамиля, не раскаивайся, ты нашла свое трудное счастье!

Я смотрю на них и слышу голос Данияра. Он зовет и меня в путь-дорогу — значит, пора собираться. Я пойду по степи в свой аил, я найду там новые краски.

Пусть в каждом мазке моем звучит напев Данияра! Пусть в каждом мазке моем бьется сердце Джамили!

Литературно-художественное издание

АЙТМАТОВ ЧИНГИЗ

ДЖАМИЛЯ

Повесть

Бишкек, издательство «Турар»

(На русском языке)

Редактор *Ж. Теңирбергенова*
Корректор *Э. Кыштобаева*
Худ.редактор *Р. Төлөбеков*
Компьютерная верстка *Г. Ниязалиева*

Подписано в печать 15.11.2019 г.
Формат издания 70x90 $^1/_{32}$. Печать офсетная.
5,5 усл. печ. л. Тираж 1000. Заказ № 1760.

Отпечатано в типографии издательства «Турар»
720031, г. Бишкек, ул. М. Горького, 1.

ЧЫҢГЫЗ АЙТМАТОВ

ЖАМИЙЛА

Повесть

Экинчи басылышы

Бишкек
«Турар» 2018

УДК 821.51
ББК 84 Ки 7–4
  А 37

Биринчи басылышы 2008-жылы чыккан.

**Китепти жасалгалоодо
Диас Устемировдун сүрөттөрү
пайдаланылды.**

Айтматов Чыңгыз.

А 37   **Жамийла:** Повесть. – 2-бас. – Б.:
«Турар», 2018, – 112 б.

ISBN 978-9967-15-774-3

Кыргыз Эл Баатыры, Эл жазуучусу, Ленин-
дик жана Мамлекеттик сыйлыктардын лауреаты,
Чыңгыз Айтматовдун ысмы дүйнөлүк адабият
окурмандарына белгилүү. Жазуучунун бул повес-
ти 1958-жылы жарык көргөн «Обон» аттуу китеби
боюнча басылды.

А 4702300100-18   УДК 821.51
                                           ББК 84 Ки 7–4

ISBN 978-9967-15-774-3   © «Турар» басмасы, 2018

Ар дайым жолго чыгарда, мен ушул алкагы жөнөкөй жыгачтан жасалган сүрөттүн алдына келип турам. Мына эртең да айылга жөнөймүн. Сүрөттү карап, мен андан жолума ак тилек бата алып жаткан өңдүү, аны көпкө көз айырбай тиктейм.

Ушул күнгө чейин бул сүрөттү эч бир көргөзмөлөргө да берген жокмун, ал тургай айылдан туугандарым келгенде, көздөн далдалап бекитип коём. Анча эле жашыргандай эмнеси бар, уяттуубу деп, кокус оюңарга кетип жүрбөсүн, жок бул сүрөттүн эч кандай ыксыз жайы деле жок, же болбосо, ага «көз тийип» кетет дегендей ал бир ашкан укмуш да эмес. Биринчи көрүшкө жөнөкөй эле кадыресе сүрөт. Бетине тартылган жер кандай жөнөкөй болсо, сүрөт өзү дагы ошондой жөнөкөй.

Сүрөттүн тээ ички тереңинде – күзгү асмандын ала-бүркөк чет жакасы. Шамал бирин-серин булуттарды бир жакка бет алдырып, алыста кылтыйган чокуларга жан-

датып, кыялата айдап бара жатат. Андан берки көрүнүштө – бозоргон сары талаа, кең өзөн. Чет-четтен чийлер ыкташып, жаан-чачындан кийин топурагы борпоң тоборсуп карайган жолдо, катарлап баскан эки жолоочунун изи тигинден бери чубайт. Жолоочулар улам жакындаган сайын алардын издери жерге даана түшүп, өздөрү азыр дагы бир-эки кадам шилтешсе, рамканын сыртына аттап, ушундан ары кетип калчудай сезилет. Айтмакчы, жолоочунун бири... Бирок мен шашпайын, сөз башынан болсун.

Бул өзү кечээ эле балалык чактагы окуя. Ата Мекендик согуш үчүнчү жылга аяк басып, Курск менен Орелдун майданында күчөп турган кези. Анда биз, бир кур өспүрүм балдар, колхоздо араба айдап, суу сугарып, чөп чаап, айтор, согушта салгылашып жаткан эр бүлөлөрдүн оор түйшүгү биздин мойнубузда калган.

Өзгөчө эгин-жыйын келгенде аптасы менен үй бетин көрбөй, күн-түн кырманда, же болбосо эгин төгүп станцияда, жолдо бозуп жүрчүбүз.

Мына ушинтип саратан талаа ороктун кызуусунан өрттөнүп турган күндөрдүн биринде, станцияга каттап жүрүп, көптөн бери үйдөгүлөрдү көрбөй, бара кетейин деп, жолдон салт арабамды кайрыдым.

Биз башынан эки үй жанаша турабыз. Үч кез дубалы мыктап салынган, кечит жактагы дөбөчөдө турган бак-дарактуу короолор ошол биздики. Мен чоң үйдүн баласымын. Агаларым согушка кетип кабар жок, экөө тең үйлөнө элегинде кеткен. Карыган атам жыгач уста, колхоздун жүрүп турган ушул тактай араба, шады араба, баарысы дээрлик ошол кишинин колунан чыгып турат, таңдан намазын окуп устаканасына кетет да, күн бата келет. Үйдө апам менен карындашым бар.

Берки кичи үйдө болсо биздин жакын туугандарыбыз турат. Жакын дегеним, ортобуздан эки-үч ата өтсө да, алар менен башынан малыбыз, жаныбыз бир. Тээ чоң аталарыбыз бирге көчүп, бирге конуп өтө ынтымактуу турушкан экен, ошолордун салты менен биз дагы арабызды алыстатпай, кол үзгөн жокпуз. Колхоз уюшулганда аталарыбыз короо-жайларды бир жерден жанаша тургузушуптур. Ал гана эмес, эки суунун ортосундагы биздин Арал көчө ылгый эле бир атанын балдары.

Кийинчерээк берки үйдүн ээси дүйнөдөн кайтып, артында аялы менен тестиер эки уулу калат. Илгертен калган адат боюнча агайын-туугандар жесирдин башын байлап коёлу деп, арбак, кудайга тууралап: менин атама никелештирип коюшат.

Ал үй жонунан өзүнчө түтүн болуп саналып, мал оокаты, чарбагы бөлөк болгону менен, чынында биз баарыбыз бир үй-бүлө болчубуз. Алардын да эки уулу аскерде. Улуусу Садык жаңы эле келинчек алганда кетти. Фронттобуз деп анда-санда алардан кат келип турат. Кичи үйдө кичи апам менен анын келини эле калышты. Ал экөө да эртеден кара кечке колхоздун жумушунда. Кичи апам, – аны айылдагылар иштерман деп коюшат, ээ бир дүйнөдө табылбаган карапайым, сонун киши да. Түк бир бригаттар менен жаакташпай жүр деген жагына жүрүп, берки жаш келиндер менен тең катары эле арык да чаап, суу да сугарып, кетмен колунан түшпөйт. Анын келини Жамийла, кудай билип бергенби бейм, ал дагы жумушка кайраттуу, мыкты келинчек, бирок мүнөзү башкачараак.

Жамийла жеңемди мен чын ниетим менен жакшы көрчүмүн: бир жагы жеңем, бир жагы, ал менден азыраак эле улуу, тең курбу сыяктуу эле.

Ал дагы мени «кичине бала» деп инисиндей эркелетет.

Ушинтип эки үйдүн тең тиричилиги өзүмдүн апам менен карындашымда. Карындашым анда секелек ойноок кыз, садагасы, анан ошондо апама жардамдашканын, мүнөзүнүн жайдарысын түк өмүр бою

унутпасмын. Эки үйдүн тең козу-улагын
жайган да ошол, тезек терип, отун алган
да ошол, балдарынан кабар албаган апам-
дын кайгы-муңун алаксыткан да ошол. Бу
биздин эки үйдүн ынтымагын, ырыс-бере-
кесин сактаган апам, билерманы да апам,
ал кишилердин арбагын сыйлап, сеники-
меники дебей эки үйдү тең адилеттүү баш-
карып, айылдагы эски нускалуу, кадыр-
ман байбичелердин бири. Бизге тийиштүү
кандай гана иш болбосун апамдан чечи-
лет. Атамды үй ээси экен деп эч кимиси
кайрылчу да эмес. «Ой устакеңе барбай эле
кой, ал дөңгөлөк, аспаптарынан башка эч-
теке менен иши жок. Алардын эки үйүн
тең билген байбичеси, ошого бар» – дешчү.
Дагы да андай-мындай иштерге, жаштыгы-
ма карабай, мен кийлигишип кетчүмүн.
Анткени агалар аскерге кетип, эки үйдүн
бел байлар жигити деп коюшканына кор-
союп, мен өзүмдү кандайдыр жоопкерчи-
ликтүү сезем. Апама болсо менин андайым
жагат, – бышык болсун, тыкан болсун,
атасынча жыгач чапкандан башканы бил-
бей, тиричилик аласа-бересеге көнсүн дейт.
Мен арабамды чарбактын четине, көлөкөгө
айдап келсем, биздин бригадир Орозмат,
балдагын канжыгасына байланып алып,
короонун оозунда апам менен эмнегедир
кежеңдешип айтышып жатыптыр.

Жакындай келгенимде апамдын үнү угулду:

– Барбайт андайыңарга! Кудайды карап иш кылсаңарчы: аял деген качан эле араба айдачу эле? Кой, айланайын, келинимди ошол орогуна эле тим койгула. Ансыз да жалгыз бойлуктун азабын тартып, эки үйдүн тең түйшүгү өйдө каратпайт! Бир базардан бери белиме жел туруп, тиги жүгөрүлөрдүн түптөрү үйүлбөй жатат! – деп, заңкайта орогон элечектин ээк алгычын апам адатынча кайра-кайра жакасына кыстай, булкулдап жаткан экен.

Орозмат ээрде чалкалай берип, аргасы түгөнгөн кишиче онтоду: – О, кокуй-ой, жарыктык, менин төрт мүчөлүм соо болуп, колумдан келсе, өзүм эле баягыдай каптарды арабага ыргытып-ыргытып жиберип, шакылдата айдап кетпейт белем! Лаажы жок, – бой келиндерге араба айдаталы деп жатсак, макул деген келинди сиз тыйып салсаңыз, план толбойт: пуронттун эгинин токтотосуз деп, тыяктан чоңдор үстөлдү муштагылап жемелесе, бу деги шартка түшүнсөңөр болбойбу!

Нары жактан шапалак камчыны сүйрөй баскан мени көргөндө, бригадир алда кандай ой тапкансып, сүйүнүп кетти:

– Андай эле келиниңизге жолдон тентек арабакечтер тиет десеңиз, мына – кай-

ниси турбайбы! – деди ал мени көрсөтүп.
– А-бу иним жеңесине бирөөнү жакын
жуутмак турсун, каратып да койбойт. Ан-
дан кам санабаңыз: Сейит азамат өзү, биз-
ди жансактатып жаткан мына ушул бал-
дар да азыр, садагасы кетейиндер...

Апам мени көрө салып, бригадирдин
сөзүн бөлүп жалынды:

– Ии, тентиген арам... Чачың өсүп, жү-
дөп да калыптырсың го өзүң. Жанагы ата-
сы түшкүрү баланын чачын алып берүүгө
да чолоосу тийбейт... Ата имиш...

– Андай болсо, бүгүн чачың алдыртып,
кемпир-чалга эркелеп кетсин, – деп, Ороз-
мат жайдарыланып коштоду. – Сейит
иним, бүгүн үйгө түнөп, аттарыңды ты-
ныктыр. Эртең Жамийлага араба беребиз,
жеңеңди кошуп алып өзүң баш бол. Байби-
че, чочубай эле коюңуз Сейит турганда.
Андан калса, жанагы жаңы тууган Данияр-
ды кошуп берейин: өзүңүз билесиз ал деги
адамга зыяны жок бечара... өздөрүнчө үч
араба бир бригад болуп, стансага каттап
беришсин, башкаларды булардын жанына
кошпоюн да... Э, Сейит, сен кандай дейсиң.
Бу апаң Жамийлага араба айдаталы деп
жатсак, көнбөй жатат, өзүң айтчы...

Бир чети, – бригадир менин мактоом-
ду жеткизип, бир чети, – ал менден кады-
ресе акыл сурап жатканга, анын үстүнө

жеңем жанымда араба айдап жүрсө, кандай сонун болор эле деген балалык ой менен, мен мурчуюмуш болуп, апама айттым:

— Айдай берсин, аны эмне карышкыр жейт беле! — деп, тиги чоң арабакечтерди туурап, чырт түкүрүп, камчыны сүйрөй, жайбаракат теңселип бастым.

— Ии, күрсүлдөгөн урган, карышкыр дейби? Кой, айланайын, сен эмнени билип коюптурсуң! — деди апам ачуулана эреркеп.

— Э, билбей анан — эки үйдүн бел байлар жигити да! — деп жиберди Орозмат, апам жаңы макул болуп келе жатканда, айнып кетип кайра жаактаашабы деген коркунуч менен бапылдап, эмне дээрди билбей, кайсалактады.

Аңгыча апам солгун үшкүрүп койду:

— А-а, кудай, ушу тырмактай немебизге өмүр берегөр... Бел байлар союлдай жигиттерибиз алда кайда: журтта калгандай эле аңылдап калбадыкпы...

Андан аркысын мен уккан жокмун. Тамдын бурчун камчы менен бир тартып, саамайлары сербеңдеп, кичинекей колдору менен эпилдете тезек жайып, мага кубанычтуу жылмайган карындашыма анча деле назар салбай, далисте турган чоюн кумганды эңкейте шашпай колумду жууп, колтугума аарчыдым да, дароо үйгө кирерим менен адегенде чоң кесе айранды жу-

туп жиберип, экинчисин терезенин түбүнө алып барып, нан туурап жедим. Эшикте апам менен Орозмат дагы эле сүйлөшүп туруптур. Бирок бул жолу алар жай эле муң айтышып жаткандай өңдөндү. Апам улам-улам ээк алгычы менен кабара түшкөн көздөрүн аарчып, тиги бир нерселерди жоотуп айтып жаткан Орозматка өзүнчө муңдана баш ийкеп, кылгырган тумандуу көз караш менен тээ алыска-алыска, кабарсыз балдары көрүнө калчудай тиктейт. Айтор, капаланып бошой түшкөн апам, Жамийланын араба айдашына көндү окшойт. Бир аздан кийин бригадир ыраазы болгондой жорго байталын шарт камчыланып, чойтоңдото бастырып кетти.

Анда бул иштин аягы эмне менен бүтөрү апамдын да, менин да капарымда жок.

* * *

Жамийланын эки атты башкарып, араба айдап кетишине мен эч кандай күмөн санаган жокмун. Ал өзү кичинесинен жылкыда жүрүп өскөн, тээ боордо, Бакайыр айылындагы жылкычынын кызы эле. Биздин Садык дагы жылкычы болуп жүрүп, жайлоодогу малчылардын тоюнда кыз куумайга түшүп, Жамийлага жетпей калган имиш, ошондон кийин намыстанып аны

ала качып келгенин уккам. Андай эмес, экөө көңүлү менен кошулушкан деп да айтып жүрүштү абысын-ажындар. Эмнеси болсо да, алар үч-төрт ай эле бирге туруп, анан Садык акемди аскерге алып кеткен. Билбейм, балким, жаштайынан атасы менен бирге ой-кырда жылкы айдашып, ат чапкылап жүрүп, өктөм өскөнбү, анын үстүнө жалгыз кыз бала экен, айтор, Жамийланын жүрүш-турушунда кандайдыр ишке шамдагай киришип, башка келиндердей башым, белим дечү эмес. Анан өзү да бирөөгө жемин жегизбеген өжөр, айтышкан менен айтышып, тилдешкен менен тилдешип, ал тургай бир-эки жолу келиндер менен тытышканы да бар. Жан-жакадагы жеңе-желпилер: «Э, ботом, бул кандай тыкчыңдаган келин эле! Эшик-төрдү көргөнүнө бир күн болбой жатып, тили менен тим эле буудай кууруйт!» – дегендерине апам: «Ошондою мейли! – деп, кайра жактай кетчү. – Келинибиз ошондой ачык-айрым, тайманбас... Адамдын ичи-койну ачыгы эле жакшы болот, – сасыткылар кайра ошо тымпыгыйлардан чыгат».

Атам менен берки Иштерман энем го, алар деги кайната-кайнене катарында Жамийланы кагып-силкпей, жай эле, чын ыкласы менен эркелетишип: «Кудай өзүнө ынсап берсин, түз жүрүп нээтин бузбаса эле

болду!» – деп коюшчу. Өстүрүп чоңойткон
төрт уулду аскерге жөнөтүп жиберип, эки
үйдүн ортосунда колго кармап калган жал-
гыз келиндин көзүн карашабы, бирок мен
апама таң калган жерим бар. Башканы
мындай коёюн, апам бирөөнүн көзүн ка-
рай турган киши эмес. Эски салтты коё
бербей, атам өзү чапкан алты канат боз
үйдү ар жылы жаз чыгары менен короого
тигип, арча түтөтүп кут сактап, бизди баа-
рыбызды тектүү катуу тарбыяда өстүрүп,
башынан эки үйдү бийлеп көнгөн апама
үй-бүлө анын айткан-дегени менен болушу
керек. Ал эми Жамийла келери менен биз-
дин арабызда айырмаланды. Ырас, ал эне-
леринен ийменип, аларды сыйлачу, бирок
айылдагы көпчүлүк келиндердей болуп, үн
этпей башын жерге салып, же болбосо тес-
кери карап көгөрүп сүйлөнбөй, өзү туура
таап, айтам дегенин тартынбай айтып, ой-
пикирин жашырчу эмес. Жүйөлүү болсо
апам көбүнчө аны менен макул, бирок
ошондо да акыркы ток этер сөздү ал оңой
эле бирөөгө бере койбойт. Менимче, апам
аны мүнөзүнүн күчтүүлүгү, адилеттүүлүгү
жагынан өзүнө жакын, өзүнө тең болор-
лук көрүп, келечекте аны эки үйдүн ба-
шын коштуруп, очоктун ырыс-берекесин
сактаган өзүндөй мыкты орунбасар ката-

рында калтырып кетейин деген ою бар болсо керек.

– Аллага шүкүр, тектүү, куттуу жердесиң, балам. Ал да болсо сенин багың, ушуну билип жүр. Аял деген кудай этегинен айтып, үйүнө береке турса, башка эмнени тилемек эле. Мына, жыйган-тергенибизди биз чал-кемпир кошо алып кетмек белек... Кадыр-баркыңды сактасаң, энчиңе бак-дөөлөт сактаганың ошол, балам! – деп, эскерте турган.

Баса, энелерди саал чочуткан бир нерсе бар эле: Жамийла өтө эле шайыр сымак, бала кыялдуу. Кээде ал эч бир себепсизден энелерине эркелей кетсинби, же болбосо шаңкылдап каткырып жиберсинби, же көчөдөн короого кирип келе жатканда, куду эле жаш кыздарча арыктан так секирип, жүгүрүп келсинби, анан өзүнчө эле ырдап жүрөт. Энелер Жамийланын мунусун кеп кылып, анан кайра: «Бала да, бара-бара салмак тартар» – деп коюшчу.

Ал эми мага жеңемдин ушундайы жакчу. Ал экөөбүз алышып-күрөшүп, кубалашып да кетебиз.

Жамийла өзү шыңга бойлуураак, белдүү келин. Эки өрүмгө батпай, дүркүрөп өскөн калың чачын кысып туруп, бир байлам ак жоолукту маңдайына кыйгачтатып, шарт буунуп алса, кызыл торусунан кел-

ген, балкылдаган төгөрөк көзүнө ак жоо-
лук эп келише калат. Жамийла күлгөндө,
анын чымкый кара сүйрүрөөк көзүндө ден
соолуктун, жаштыктын ашып-ташкан күчү
ойт берип, ал эмнегедир өзүнчө бой кара-
нып, секетпайдын туздуусунан ырдап жи-
берет. Айыл арасындагы жигиттер, өзгөчө
фронттон кайтып келгендер Жамийлага
кызыгып, тийишип жүргөндөрүн алда нече
байкагам. Тамашаны жакшы көргөн же-
ңем алар менен тамашалаша берчү, бирок
колу шоктурду жанына көп жуутчу эмес.
Ошондой болсо да, мен өтө ичи тар элем,
жеңемди кызганып, берки тийишип жат-
кан «бузуктарга» сыр көрсөтөйүн дегендей:
«Байкагыла, мында мен, кайниси турам!
Коруп алар эч кимиси жоктой көп эле су-
галактай бербегиле!» – дегенчелик кылып,
алардын сөзүн бөлүп, эпсиз какшыктап,
эң акыры, сүзөөнөк теке-улакчасынан кый-
шайып кабактын астынан үлүрөйө тик-
тейм. «Ой, алдагы жаман кантет, жеңе
ушунуку беле!» – деп жигиттер күлгөндө,
кудай билет, кызарып-татарганым аз кел-
генсип, көзүмө жаш имериле түшөт ок-
шойт. А мени түшүнгөн жеңем, кубаныч-
туу күлкүсүн тыялбай суз жылмайып:
«Ишиңер болбосун, жеңе деген жерде жа-
тыптырбы? Жүр кеттик, кайним!» – деп,
тигилерди ого бетер кызыктырып, бураң

этип, башын өйдө чулгуп, мени менен кошо басып бара жатып, өзүнчө ыраазы болгондой да, ызалангандай да, унчукпай күлүмсүрөйт. Мүмкүн ошондо: «Жеңе коруйт десе үшүнтө бересиңби, кичине бала? Кызыксың да анан, көңүлүм бузулса, миң коругула, мен чабырадагы чымчык эмесмин да!» – деген ой кетеби ага?.. Мен дагы ошондо айыптуу немедей унчукпайм. Бирок аздан кийин эле жеңем кайра жазылып: «Ии, кичине бала, кызыксың да анан!» – деп, адатынча мени бооруна басып, маңдайымдан өбөт.

Ооба, мен жеңемди эч кимге ыраа көрбөй кызганам, анын ирендүүлүгү менен, өзүн эркин алып жүргөн мүнөзү менен ичимден сыймыктанчумун. Билбейм эмне үчүн экенин, бирок биз өтө жакын элек, биринен бири эчтеке жашырбас сырдаш курбулар сыяктуу элек. Ал кезде айылда эркектер аз, ошондон улам кээ бир көкүрөк көтөрүп, дөгүрсүгөн жигиттер, өзүн «мен гана» дегендей сезип, аял алар үчүн кеп эместей. Бир жолу чөп чабыкта, улам эле жөнү жок ыржалактап, айтканым сая кетпейт дегендердин бири – биздин тууган сөрөй Осмон тийише бергендиктен, Жамийла анын сенек колун жактырбай силкип салды да, көлөкөдө отурган жеринен өйдө боло берип:

– Турчу нары! – деди. Анан тескери карап, өзүнчө капалана үшкүрдү.– Аңгиликтен башка колуңардан эмне келет дейсиң?

Чөп маянын түбүндө талтая жамбаштаган Осмон, шилекейленген калбык ээрдин кекерлене түйрүп, бышкырды:

– Тигини, мышык этке жетпей жатып сасык дейт... Мурдуңузду чүйүрбөй эле коюңуз! Кесирди эмне кылат экенсиң: көзүң катып өлүп эле жүрөсүң го...

Жамийла жалт бурулуп кубара түштү:

– Өлсөм өлүп жүргөндүрмүн, кудайдын башка салганы! Бешенебиз ушул экен, сен, акмак, андан эмне күлөсүң? Көзүм катмак турсун миң жыл так өтсөм да, сага окшогон шүмшүккө кесиримди артканым арткан! Акмаксың, баягыдай тынчтык замана болсо, көрөр элем ушинтип айтканыңды!

– Ошону айтам да! Согуштун кесепетинен камчынын уусуна сугарылбай кутуруп жүрбөйсүңбү, – Осмондун көзү жүлжүйө майланышып, ал ээрдин тиштене тамшанып алды. – Менин гана катыным болуп калсаң ээ...

Эриндери дирилдеген Жамийла Осмонду бардык күчү менен жекире карап, бир нерсе айтмакчы болуп ага умтула берди да, анан: «Ушуга айткан кайран сөз» – деди

окшойт, «туу», – деп, тигини көздөй жи-
йиркеничтүү түкүрүп, жерде жаткан айры-
ны ийнине салып, унчукпай четке басты.
Мен бери жакта арабанын үстүнөн чөп тү-
шүрүп жатат элем, мени көрө салып, Жа-
мийла чукул бурулуп кетти. Жеңем мен
ошондо кандай абалда экенимди билди. Сөз
ага эмес мага тийгендей, мен ал үчүн ыза-
ланып, намысым кайнап: «Андайларга
эмне үчүн жолойсуң, алар менен эмне үчүн
сүйлөшөсүң?» – деп, жеңеме жаным ачып,
кейип турдум.

Ошол күнү керели кечке Жамийланын
ийилген кашы сустайып, шыңкылдаган
күлкүсү тыйылып унчукпады. Мен шады
арабаны үймөктөрдүн жанына айдап кел-
генде, ал мени сүйлөтпөс үчүн атайын жу-
мушка алаксытып, ичин өрттөп жаткан
ой-санаасын байкатпай, чоң үймөк чөмөлө-
гө айрыны ныгыра сайып, тоо омкоргон-
дой аны бүт бойдон жерден так көтөрүп,
бетине калкалай келип, улам арабага өжөр-
лөнө силкип таштап жатты. Тигиндей узай
берип артыма караганымда, жеңем айры-
нын сабын таянып, бир азга солгун туруп,
ойлонуп калат да, кайра жумушка кирет.

Кеч бешимде акыркы арабага чөп ба-
сып жатып, Жамийланын тиги өчүп бара
жаткан күндү карап турганын байкадым.
Наркы өйүздө казактын боз адыр белесин-

де от жагылган тандырдын оозундай алоо-
лонуп, билинер-билинбес мелт-мелт ылдый
чөгүп, жерге күүгүм чакырып, асмандагы
борпоң булутчаларды кызылсур түскө боёп,
талыкшып албырган күндү Жамийла ала-
канын көзүнө калкалап, ошол жакта кан-
дайдыр бир сонун көрк ачылып келе жат-
кансып, муңайым күлүмсүрөп карап тур-
ду. Баятан куушурулган кашы азыр жа-
зыла берип, жүзү жарык тартып жумшар-
ды.

Ошондон улам ал менин айтылбаган,
бирок али да жүрөгүмдү өйкөп, тилимдин
учунда турган: «Андайларга эмнеге жолой-
суң, алар менен эмне үчүн сүйлөшөсүң?»
– деген кейиштүү суроомо жооп бергендей,
мен анын эң жакын сырдаш курбусу өңдүү:

– Сен жанагыны оюңа албай эле кой,
кичине бала, – деп койду.– Ушул Осмонго
окшогондор да кишиби? Дөбөттөр да ал
бир...

Жамийла унчукпай калып, күндүн
кылтыйып үзүлүп бара жаткан четин ой-
луу карап, мага эмес өзүнө угуза айтты:

– Андайлар адамдын черин жазмак
кайда... Ал жүрөктүн түпкүрүндө жатат
да. Кудай билет, андай эркектер дүйнөдө
жок да чыгар?..

Мен антип-минтип арабаны кайырган-
ча карасам Жамийла нары жакта иштеп

жаткан келиндерге жүгүрүп кетип, алар менен бир нерселерди тамашалаша айтышып, кубалашып да кетиптир. Күндүн таптаза батышын көрүп көңүлү ачылдыбы, же жумушту ойдогудай бүтүргөнүнө ыраазы болдубу, айталбайм. Чөп баса үйүлгөн арабанын үстүндө олтуруп, буурул-ала салкын көлөкө жайылган чабынды менен жоолукчасын булгалап, кулачын кере жүгүрүп бара жаткан Жамийланы көрүп, менин да көңүлүм ачылды: «Ырас эле, Осмондун сөзү да кеппи?»

— Чү, аттарым, ылдамда! — деп, арабаны тездете айдадым.

* * *

Бригадир Орозмат айткандай ал күнү мен чачымды алдыртып кетейин деп, атам устаканадан кайтканча, Садык акемдин катына жооп жаздым.

Кат жазуунун бизде өзүнчө салты боло турган. Аскердеги агалар катты атамдын наамына жиберчү, почточу аны апамдын колуна тапшырат. Келген каттарды окуп бериш жана жооп жазыш — ал менин милдетим. Катты окуй электе эле анда эмнелер жазылганын мен күн мурун эле биле турганмын, анткени алардын баары эгиз козудай бирине бири окшош болучу. Са-

дык акем кат жазганда адегенде: «Аман-
дык кат» – деп туруп, анан: «Андагы Та-
ластын атыр жыттуу салкын абасында жа-
шаган, жандан артык көрүүчү атам Жол-
чубай», – деп, атамдан баштап, анан апам-
ды, анан Иштерман энемди айтып, ушин-
тип баарыбызды бир-бирден өз кезеги ме-
нен атап, жакын туугандарыбыздын аман-
чылыгын сурашып, эң акырында: «Жана
да аялым Жамийла аман-эсен турабы» –
деп, Жамийланы бир ооз сурап өтөт. Ата-
эне, туугандар турганда аялын биринчи
эскерип, катты анын наамына жазыш –
жалаң эле Садык үчүн эмес, эркекмин де-
гендердин баарына эрөөн болобу, бирок
биз ушундай эле катка көптөн-көп ыраазы-
быз, айыл элинин түшүнүгүндө бул өзү
салттагы иш. Катты бир эмес эки-үч жолу
окутуп алгандан кийин, апам аны казан-
аяктын ысык-суугуна туурулган колуна
алып, кагазды учуруп жиберчүдөй абай-
лай кармап, үч бурчтук кылып кайра бүк-
төйт.

– А-а, тумардай болгон катыңардан
айланайын!– деп коёт ал, көзүнө жаш ала
үшкүрүп. – Ата-эне, туугандар дейт тура?
Бизди коюп өзүңөрдү эле кудай сактаса
болгону, биз эмне... Үйдө эмеспизби... Мен
аманмын деп бир ооз эле чийип койсоңор,
ошо да бизге чоң канимет...

Анан ал дагы бир азга катты телмире тиктеп, сандыктагы кат сактоочу тулубуна салып коёт.

Эгерде ошол учурда Жамийла да үйдө болуп калса, ал дагы катты бир сыйра ичтен окуйт. Ар убакытта кат колуна тиер менен Жамийланын бети албыра түшүп, ал аны демин токтото албай, шашылып окуй баштайт. Бирок улам каттын аягына жакындаган сайын, өңүндөгү оту соолуп, ийилген кашы сустая жыйналат. Кээ бирде аягына чейин да окуп жетпей, Жамийла унчукпастан, катты убактылуу карызга алгандай, сустайган бойдон кайра энесине берет.

Кат сактоочу тулупту сандыкка бекитип жатып, келининин бозоро түшкөнүн байкаган апам, аны кайраттандырмакчы болуп жемелеп коёт:

— Кабар келгенине сүйүнбөй, кайра шылкыя калат экенсиң да, балам. Же аскерге кеткен жалгыз эле сенин күйөөң бекен? Эл тарткан азапты эл менен кошо тарт... Кудай кошкон жарын ким сагынбасын, сагынсаң да ичиңде болсун, ичиңе сакта...

Жамийла унчукпайт. Унчукпаганы менен ошол учурда кежирлүү капалана карап: «Сиз түшүнбөй эле айта бересиз да!» — дегенсийт.

Садык акемдин бул жолку каты да Саратов шаарынан келиптир. Ал анда госпиталда жаткан. Куда кааласа, күз ортосуна карай бошоп келермин дептир. Мурун да ушундай кабар келип биз сүйүнүп жүргөнбүз.

Атам жумуштан келгенде, чачымды тезирээк шыпыртып алдым да үйгө жатпай эле, аттарды бедеге коё берип, күндөгүдөй кырманга барып түнөдүм. Башкармалар малды бедеге жайдырчу эмес, бирок мен, аттарым мыкты болсун деп, көздөн далда алысыраак ойдуңдагы бедеге түндөп тушап койчумун. Эч ким аны билчү эмес. Бул жолу арабаны кырманга чыгарып коюп барсам мен ээлеп жүргөн ойдуңда төрт ат тушалып жүрөт. Ачуум келип, бул аттарды тээ алыска айдап салайын дедим. Бирок эки ат жана бригадир айткан Даниярдыкы экенин таанып, эртеңден баштап баарыбыз бир бригад болуп, станцияга кошулуп каттап жүрөбүз деген ой менен тим койдум. Кырмандагы саманга жатайын деп келсем, Данияр дагы ушул жерде экен. Арабанын дөңгөлөктөрүн кечки жарыкта жаңы эле майлап бүтүп, бурамаларын бекемдеп жатыптыр.

— Данике, сайдагы аттар сеникиби?— дедим.

Ал бурула берип, жай карап койду:

— Экөө меники.

— А беркилеричи?

— Жанагы Жамийла дейби... сол келин-дики. Сенин ал жеңең беле?

— Жеңем.

— Айтпесе бүгүн түн багып бересиң деп, бригад өзү таштап кетти.

«Ии, жана аттарды айдап жибербеге-ним жакшы болгон экен анда», — деп кой-дум оюмда.

Түн кирип, жогортон соккон сыдырым тыйылып, кырман да тынчыды. Мен жат-кан саманга Данияр да келип жатты. Би-рок бир аздан кийин ал туруп кетип, нары суу аккан чоң сайдын тик ылдый түшкөн кашатына барып туруп алды. Ал ошол жерде эки колун артына алып, башын саал бир жагына кыйшайта, козголбой тура бер-ди. Артынан карасаң Даниярдын сөлөкөтү айдын күүгүм жумшак жарыгында сомдон чыккандай арбайып, кашатта жалгызсы-райт. Мемиреп жуушаган түнкү тынч-тыктын уйкусун бөлүп, ушул кезде улам күч алып, бөгөлгөн таштарга урунуп, сай-да шаркыраган суунун шарын, же болбосо башка бир кулакка угулар-угулбас дабыш-тарды тыңшагансып Данияр козголбойт.

«Адатынча дагы суунун боюна барып жатайын деген экен го!» — деп күлүп кой-дум мен.

Данияр биздин айылга жакында эле пайда болду. Чөп чабык жаңы башталганда, фронттон бир жарадар аскер кайтып келди деген кабарды айылдан чуркап келген бала сүйлөп берди. Бирок ал аскер ким экенин бала өзү да билбейт. Айылда го белгилүү: бирөө аскерден кайтып келди дегиче болбой, жабыла учурашканы жүгүрүп барат эмеспи. Ал эми бул жолу анын аты-жөнү дайынсыз болуп, чөп чабыктагылар ого бетер чуу түштү.

— Чоочун дейт го?

— Чоочун болсо бул айылга эмнеге келмек эле?

— Баса, ошондой де!

Ушинтип, ал ким экен, кимдин баласы экен, биздин баланча болуп жүрбөсүн, биздин түкүнчө болуп жүрбөсүн — деп, чуулдаган чөпчүлөрдүн бир тобу айылга чаап барып да келишти.

Көрсө, Данияр түпкүлүгү биздин айылдан экен. Кишилердин айтышына караганда, ал кичинесинде тоголок жетим калып, анан ар кимдин колунда жүрүп, акыры тээ төмөн Чакмактагы казак таякелерине кетип, ошо бойдон артынан изденер, күйөөр жакын тууганы жок, элдин эсинен чыгып, унутулуп калат. Айылдан кеткенден кийинки өмүрү жөнүндө Данияр анча деле чечилип айтып бербептир. Бирок азыр ой-

лоп карасам, анын көрбөгөн күнү, тартпаган азабы калбаса керек.

Илинер-карманары жок эбелектей баланы, турмуш бир жерден экинчи жерге айдап сүрүп отуруп, карандай баштын жан сактоосун акмалатып, далай жерди кыдырат. Данияр бир топко чейин Чакмактын боз даңгыр айланасында кой кайтарып, анан бой жетип, кайнаган чөлдө канал чаап, жаңы пахта совхоздорунда пахта эгип, суу сугарып, акыры Ташкенттин жанынан Ангрен шахталарында иштеп, аскерге кетет.

Эмнеси болсо да, элдер анын кайтып келгенин туура таап: «А, бечара, туз-насиби бар экен, акыры өз элин издеп келгенин карачы! Ушунча жыл сыртта жүрүп өз тилибизди унутпаптыр, — аздап эле казакча чалышы бар» — дешип, өз ара ыраазылыгын айтышты.

«Тулпар айланып үйүрүн табат. Тууган жер, эл-журт деген оңойбу. Келгениң арбакка жагар иш: мына германды жеңип, тынчтыкка жетсек, сен дагы эл катары түтүн булатып балалуу-чакалуу болорсуң!» — дешкен чалдар, Данияpдын жети атасына чейин сөөк сүрүштүрүп отуруп, анын кай уруудан экенин, айылдагы анча-мынча туугандары ким экенин да таап беришти. Элдер эми аны: «Жаңы тууган Данияр» — дешчү болду.

Ортодон көп өтпөй, бир күнү шинелин ийнине арта салып, сол бутунан сылтый баскан узун бойлуу, мойну куркуйган бирөөнү бригадир Орозмат ээрчитип келди. Өзүнчө эле чукчулдуктай бүлүнүп, жорго байталды кыдыңдата бастырган жампыгый Орозматтын жанында тиги узун бойлуу аскер, салмагын соо бутуна салып, кандайдыр демите арыштап, унчукпастан калышпай келе жатты.

Биз, чөп чапкыч машина айдаган балдар, Даниярды ошондо биринчи жолу көрдүк. Анда жанагы бүгүлбөгөн бутунун жараты жакшы айыга элек, чалгыга жарабай, ал дагы машина айдашты. Чынын айтайын, биз аны анча жактыра бербедик. Себеби Данияр киши менен көп сүйлөшчү эмес. Сүйлөшсө да ошол убакытта башка бир, өзүнө гана белгилүү ойлорду ойлогонсуп, кишини тике карап турса да, көңүлү башка жакта экени сезилип турчу. Ал өзүнөн өзү кыялга баткандай, маңыроо сыяктуу. Аны байкаган кишилер: «Байкуш неме согуштан эси ооп калса керек» – деп да жүрүштү. Бирок Даниярдын ушул мүнөзү, кыймылы тез иштегенине, чапчаң жүрүш-турушуна түк байланышпайт, – сыртынан карап турсаң, аны абдан курч, чечен неме го деп ойлойсуң. Мүмкүн, жетимдиктин запкысын көп тартып, турмуш

аны тез иштөөгө, бирок көп сүйлөтпөй, сырын ичке түйүп, сактанганга үйрөттүбү? Балким, ошондой болуш керек.

Тартайган, москоол боюна жараша Даниярдын бет түзүлүшү шылынып чап жаак, кабагы дайыма чарчаңкы жыйрылып, көзү бир калыпта салмактуу тиктейт. Анын жүзүн өзгөртүп, кыймылга келтирген ийкемдүү кашы. Кээде ал бир үн чалгансып, сестее калганда, канат серпкендей кашы өйдө боло берип, көзү жалжылдап, бир нерсеге сүйүнгөн өңдүү болот. Ал эмнеси экени биз үчүн түшүнүксүз. Бул гана эмес, анын башка да кызыктары бар. Кечке жуук: иңир чалышта аттарды коштоодон чыгарып, казанда кайнаган тамак качан даяр болот деп, отту тегеректеп, баарыбыз дем алып күтүп отурабыз. Данияр болсо, жаныбыздагы Караул дөбөгө чыгып барып, караңгы киргенче ошол жерде олтурат. «Эмнеси бар анда, күзөт күзөтөбү?» – деп, биз күлөбүз. Бир күнү кызыгып, мен дагы Даниярдын жанына дөбөгө чыгып отурдум. Анча деле укмуштуу эчтеке жоктой бул жерде. Ырас, дөбөнүн үстүнөн айлана кеңири ачылып, тоо этектеп коюлуп келе жаткан көгүш иңирде, жайкы талаалар деңиз түбүнө чөккөнсүп, барган сайын куйкум көлөкө жамынат. Данияр менин мында келгениме көңүл бурган жок, сы-

нар тизесин кучактап, тек өзүнчө кыялда-
нып, жүзү эргиген мейримде отуруптур.
Ушул учурда ал мен укпаган, менин кула-
гыма жетпеген кандайдыр кереметтүү бир
нерселерди тыңшап ошого жан-дили менен
берилип, кулак салып отурган өңдүү туюу-
лат. Кээде анын кашы бийик серпилип,
көзү жайнап, ичинде демиккен бир зор күч
бардай, ал чыңала түшүп, сыягы азыр өйдө
тура калып, кулачын жая, айланадагы көз
көргөндүн баарын кучактап, көкүрөгүнө
бекем кысчудай сермелет. Бир карасам
жок, жөн эле чарчаган эмедей шалдырап,
дем алып отурган сыяктуу.

Биздин колхоздун чөп чабындысы Күр-
күрөө суусунун ойдуң-буйдуңдуу чоң са-
йында Күркүрөө дегендей эле капчыгайдан
күркүрөп келип, ошол ашынган бойдон
жан сабалап агат. Чөп чабынды маал, тоо
сууларынын кирген кези. Таштан-ташка
күбүлүп, кум ойнотуп, сары көбүк тарт-
кан суу кечтен кошула баштап, түнкүсүн
анын жер дүңгүрөтүп шаркыраганынан
алачыкта жатып ойгонуп кетем. Каймагы
алынган сүттөй, көк ирим аба, сырттан
муздак илеп чалып, бадырая толгон жыл-
дыздар жылчыктарга шыкаалайт. Түнкү
тынчтыкта суунун агымы бөтөнчө күчтүү
сезилип, алачыктын түбүнө шарпылдата
толкун уруп, улам жакындап сүрүп кел-

гендей. Жээктен алыс болсок да алачык-
ты каптап алып кетеби деген коркунуч
эрксизден туулат. Жолдошторум бейкапар
уйкуда, мен сыртка чыгам.

Сайдагы түн көрктүү да, коркунучтуу
да. Жээкте тушалган аттардын караанда-
ры тигинде, мында бириндеп, тынч. Ат-
тар баятан шүүдүрүм чөпкө тоюп, азыр
кез-кез бышкырынып, тек гана магдыра-
шат. Ошолордун эле жанында булуӊдагы
бүткөн бою суу, солкулдак бадал чырпык-
ты ыргай жапырып, таштарды ала-сала
агызган күркүрөө, эчтекеге ээ-жай берги-
сиз жапайы күч менен жердин астынан
чыккандай күӊгүрөнүп, жандуу, тилдүү
немедей сүрдүү, укмуштуу күү чалат. Аны
тыӊшап сүрдөйм, ичиркенем. «Баса, Да-
нияр кайда болду экен?» – деп ошондо эс-
теймин. Ал дайыма так суунун жайында-
гы үймөк чөптөргө барып жата турган.
«Ал эмне түнкүсүн коркпойбу, кулагы тун-
байбы?» – деген ой келет мага. – Уктап
жатат болду бекен, же ойгобу? Тооба, өзү
жалгыз суу боюна барып жаткандан кан-
дай кызык табат, эмнеси бар мунун? Деги
кызык неме... Адамдан оолак... «Кайда
болду экен деп карайм, тыӊшайм, эчтеке
жок. Теребел жарык, кечит кара, жээкте
толкун шыпшынат. Сайдын тээ башында
тоонун кыры мунарыктап, жылдыздар
алыста көрүнөр-көрүнбөс.

Айылына кайтып келгенине бир топ күн болсо да, ушинтип эч кимге кошулбай, ар качан жалгыз жүрүп, Данияр өзүнө жоро-жолдош күтө албады. Бирөө менен жакындашуу, душмандашуу ага жат өңдүү, эч кимге жаман айтпайт, жакшы айтпайт. Айыл арасында го колунан жамандык-жакшылык да келип, жыйналыш-жыйында чыгып сөз сүйлөп, аш-тойдо аксакалдар менен тең катары тизгиндешип, эл башкарышып жүргөн өкмөт жигиттер кадыр-барктуу болуп, оозго кирет. Кыз-келиндин көзүнө түшчү да ошолор.

Ал эми Данияр га окшоп өзүн башкалардан окчун кармап, жоош жүргөндү ишке аралашкан мыктылар анча теңине албайт, карапайымдар анын зыян-пайдасы болбогон соң: «Эптеп жан-сактап жүргөн бир бечара-байкуш» – деп коюшат. Өзгөчө бизге окшогон чечек балдар чоңураак жигиттерге теңаталашып жүргөндү мыктылык көрөт эмеспи. Биз көрүнө болбосо да, көзү жокто Даниярдын мүнөзүнө күлө турганбыз. Ал эмес көйнөгүн сууга алып барып, өзү жууганына да күлчүбүз: аскерден кийип келген көйнөгү жалгыз болгондуктан, аны чала кургатып эле кийип алчу. Бирок бир кызык жери, Данияр момун болсо да биз ага теңаталаша албадык. Аны улуусунтуп сыйлагандай ал менин

агаларым менен курбалдаш, андайларды биз «сен» деп өзүбүздүн наркыбызды төмөн түшүрбөйбүз. Сүрдөй тургандай Данияр-дын эч деле жери жок, антсе да анын ошол унчукпас, басмырт мүнөзүндө кандайдыр терең маани бардай, демейде шок, какшык-чыл балдар көп эле ага батына бербеди.

Анын себеби мындан да болуп кеттиби деп ойлойм. Мен өзүм элдин көргөн-билге-нин, бөтөнчө фронтто болгондорду майда-чүйдөсүнө чейин сурап, билүүгө кызыкчу-мун. Суроо деген менде түгөнбөйт, ушул дартымдан: «Сейит маңыз» – деп да ата-лып кеттим.

Данияр келген алгачкы күндөрү андан согушта болгон окуяларды угамын го деп күтүп жүрдүм. Бир күнү жумуштан кийин тамак ичип, отту тегеректеп жарпыбыз жа-зылып, тынчтанып отурганда, Данияр-дан сурап калдым:

– Данике, согуштан козгоп, эрмектеп бербейсиңби? – Данияр адегенде унчукпай, жаман көргөнсүп түктүйө калды:

– Согуш дейсиңби?– деди ал жай гана эмнегедир үнүн басаңдата түнөрүп, – со-гуштун түрү курусун, сендер аны билбей эле койгула!

Данияр, бери жакта жаткан катуу-ку-туу куурайдан чоң тутам алып, отту көсөп, тез-тез үйлөп күйгүздү да, эч кимибизди

карабай, көнүмүш боюнча колдорун тап-
ка кактап, желпилдеп күйгөн жалынды
көзүн сүзүлтө тиктеп унчукпады.

Ал эмне үчүн ушинткенин ким билсин,
бирок анын ушул эле айткан сөзүнөн со-
гуш деген жомок катары эрмектеп сүйлөй
турган кеп эмес, ал адамдын жүрөгүнө
терең батып, айтууга өтө кыйын, оор эке-
ни сезилди.

Уялганымдан мен жер карап калдым.
Экинчи согуш жөнүндө Данияр дан эчтеке
сураган жокмун, балдар дагы ага тийишип
теңаталашканын койду.

Бирок мүнөзү түнт, адамга ыгы жок
Данияр мурункудай эле жалгыз-жабык
жүрүп, анын аскерден кайтып келгенинин
кызыгы бат эле таркады. Кээ бир элдер
аны анчейин: «Ээ, бир жүргөн бирөө да!»
– дегенсип көзүнө илбей, кээ бирлер ага
ачык эле күлө сүйлөп, көпчүлүгү болсо
боору ачып: «Үйү-жайы жок эптеп жан-
сактап жүргөн бечара карып... Колхоздун
талаада берген ысык ооkatы болбосо тим
эле тентип эле кете турган жерде... өзү да
кудайдын боз кою!» – дешип, аяп жүрүштү.
Бара-бара Данияр дын мүнөзүнө көнүгү-
шүп, үйрөнүп калгандыктанбы, аны кеп
кылганды да койду. Чын эле адамдын эч
кимге тиешеси болбогон соң, ал көз көрүнө
эле унутула берет эмеспи.

* * *

Эртеси күн чыкпай Данияр экөөбүз аттарды кырманга алып келдик. Аңгыча Жамийла жеңем да орокто жүргөн жеринен келип калган экен, бизди көрүп, тигинден эле кыйкырды:

— Ай, кичине бала, менин аттарым кайсы, бери жетеле! Камыттары кайсы эле?— деп машыккан арабакечтен бетер дөңгөлөктөрдүн шалкылдагын буту менен тээп көрүп жатты. Аттарды коштой жетелеп биз жакындап келгенде, Данияр экөөбүздүн түрүбүз кызык көрүндүбү, анткени жайдак бастырган Данияpдын кончу кенен солдат өтүгү салаңдаган узун буттарынан шыпырылып кетчүдөй бутунун башына илинип, мен болсом мүйүздөй чор болгон согончокторум менен жылаңайлак теминип келаткам, Жамийла бизди шылдыңкор карап, күлүп койду:

— Оо, узунду-кыскалуу болгон кайрандар десе! Издешпей табышкансыңар го!

Ушундан баштап эле ал бизди башкарып алгансып: «Болгула, урушта туруш жок, эртерээк салкында жөнөй берели!» — деп, аттарды булкулдата кетенчиктетип, арабага кошо баштады.

Данияр жаныбызда жүрсө Жамийла аны кишиби, көлөкөбү дебей такыр эле кө-

зүнө да илген жок, сүйлөшсө мени менен
сүйлөшүп, бизден калышпай, нары-бери
шамдагайлана аттарды чегип жатты. Жа-
мийланын бул кыр көрсөткөндөй чечкин-
дүүлүгүнөн Данияр апкаарый түшкөндөй
болду. Чекесин тырчыктырып, ал аны
жактырбагандай да, таң калгандай да түк-
түйө карап, сыртын салды. Тиги анысын
байкаган да жок, болгондо Данияр тараза
үстүнөн каптардын бирин кучактап алып,
унчукпай арабасына көтөрүп таштаганда,
Жамийла аны жемелей кетти:

— Ал эмнеси экен? Ар ким эле өзүнчө
далбастай береби! Келе колуңду, колдош-
конду кудай колдойт! Ай, кичине бала, чык
арабага, каптарды жаткыр! — Жамийла
Данияардын колун өзү эле шап кармап, экөө
колдошуп кап көтөргөндө, Данияр уялга-
нынан кара-көк болуп кызарып кетти.
Анан алар улам каптарды колдошо көтө-
рүп басканда, бекем кармашкан колдору
чыңалышып, кап үстүнөн арта салынып,
Жамийлага эңкее берген Данияр өз алды-
нан эле оңтойсузданып үтүрөйүп, аны ка-
рабаска аракеттенип жатты. Жамийла
анда да иши жок, таразачы келин менен
ары өтүп, бери өтүп шыңкылдашат. Ара-
балар жүктөлүп бүтүп, жуп жөнөрдө гана,
ал бержакка көзүн кымтый коюп, Данияр-
га айтты:

– Ай, ким, Данияр белең? Карааның эркек эмеспи, жол башта! – деди.

– Данияр бул жолу да унчукпады, чочугандай келинди бир карап, арабаны турган эле жеринен ала-сала айдады.

«Аа, шоруң кур, уялчагын мунун!» – деп, аяп койдум аны.

Жол алыс. Жыйырма чакырымдай боз талаа менен жүрүп отуруп, төмөндө жаткан Кара-Тоонун капчыгайынан өтүп, станцияга барыш керек. Бир жакшы жери, кырмандан чыгып станцияга жеткенче жер оңуту ылдый, аттарга бул көп жеңилдик. Улуу-Тоонун адырлуу тескейинде орношкон айылыбыз, капчыгайга кире бергенче, качан артыңа кылчайып карабагын, тал-дарагы карайып, жогору жакта көрүнүп турат. Темир жол капчыгайдын этегинде.

Мына ушинтип биз күнүн барып келип, эгин тартып жүрдүк. Айылдан эртең менен чыгып, станцияга түш оой барабыз. Жүктүү арабалардын дөңгөлөктөрү каксоо жолдо дүңгүрөп, шагыл майдаланып бычырайт. Күн өйдөлөп, талаа ысыган сайын, аттардын сооруларынан жылга-жылга тер кетип, үйүр алып, кошо ээрчишкен чымындар чаң аралаш учуп-конот.

Саратан чаңкып, жер какшыган күндөр. Станцияга келсең, араба-көлүктөн

басарга орун жок. Тоо койнундагы алыскы колхоздордон эгинди өгүз, эшекке артып, айдап келатышкан балдар менен катындардын жондору туздуу шор, чаң баскан беттери капкара болуп күйгөн. Шамалга кеберсиген эриндери кан кесилип, өздөрү жылаңайлак-жылаңбаш, ташыркап, чалыгып келишет. Заготзернонун короосу ызычуу, дарбазасында: «Бардык эгин – фронт үчүн!» – деп, ураан жазылган, сокмо дубал менен тегерете курчалган жапыс короонун сыртында, паровоз вагондорду нары-бери кагыштырып, ысык буу уруп, кумурскача тынбаган аракетте. Өткүн жаандай шартылдап өткөн поезддер капчыгай жаңырта токтолбой зуулдашат. Так кампанын оозуна чөгөрүлгөн төөлөр өйдө тургусу келбей, жинин бүркүп, оозун чоё ачуулуу боздошот.

Чоң кампанын ичи тоодой үйүлгөн эгин. Каптарды жонго салып, тактайдан жасалган трап менен кампанын тээ төбөсүнө жете жаздай, бийик чыгып барып төгүш керек. Кампанын ысып чыккан тунукелүү үстү темир ис берип, буудайдын чаңы абада кылкылдайт.

– Эй, бала, көзүңө кара, үстүнө жеткир! – деп, уйкусуз көздөрү кызыл эт болуп канталаган кампачы, төмөндө колун кесеп сөгүнөт.

Ал эмнеге сөгүнөт? Сөгүнбей эле кой-
сочу! Алдан тайып жыгылып эле калба-
сак, ансыз да көтөрүп жеткиребиз го.

Биз бул эгиндин мээнетин жалаң эле
ушул жерде эмес, талаанын өзүнөн, айдоо-
го дан таштагандан баштап, көтөргөнүбүз
көтөргөн. Аны жашаялмет катын-балдар
жазы-жайы тынбай тырмактап өстүрүп,
азыр да ошол өрт алган саратан талаада
алда качан эскилиги жетип, күнүгө жүз
жолу бузулган шалдыраган комбайнды
бирде жүргүзүп, бирде кайра оңдоп, ком-
байнер жанын уруп далбастайт. Азыр да
ошол эгин майданында орокчулар ку-
ланөөк таңдан караңгы түнгө чейин, уюп
сыздаган белин жазбай, орок тартып, жер-
ге түшкөн ар бир баш машакты кымын-
дай балдардын колдору терүүдө. Ошол күн-
дөрдө биздин бардык тапкан-тергенибиз —
фронттуку, ал биздин жеңиш үчүн берген
тер менен каныбыз.

Али да эсимде: жаш өспүрүм мен ошон-
до карылуу жигиттер көтөрчү каптарды
ийиниме салып, каптын бир бурчун тишим
менен кошо тиштеп, өйдө чыгып бара жат-
канда, кабыргам майышып, көзүм туна-
рыктайт. Кадам сайын траптын тактайла-
ры ийилип, кампанын чаңдуу деми өпкөнү
кысат. Нечен-нечен жолу алдан тайып, жо-
нумдан ылдый жылбышып бара жаткан

буума капты ыргытып жиберип, өзүм да
траптан кошо кулап түшсөм деген ойлор
кетчү. Бирок артымда кап көтөргөн киши
бар. Ал деле мага окшогон жаш бала же
болбосо төрөп-түшүп жүргөн аял чыгар.
Эгерде согуш болбосо, мындай оор жүктү
буларга ким көтөртмөк эле? Эркек мен
эмес, аялдар ушинтип бел байлап иште-
генде, алсыздык кылууга акым бар беле?

Тигине алдыда Жамийла жеңем кетип
бара жатат. Этегин кыстарып, багалекте-
рин өйдө түйүнгөн Жамийланын кара тору
толмоч балтырлары булчуң түйүп, толор-
сук тарамыштары үзүлүп кетчүдөй чыңал-
ган. Жүгүн жеңилдетейин дегендей, Жа-
мийла каптын астында бүгүлө ийилип, бат-
бат, бат-бат басат. Кээде гана менин күчтөн
тайып бара жатканымды сезгенсип, ал ток-
толо калат да:

— Чымыркан, кичине бала, аз калды
эми! — деп коёт. Бирок өзүнүн да үнү ошон-
до муунуп киркирейт.

Каптагы буудайды кызылдын төбөсүнө
төгө салып, биз кайра тартканда алдыбыз-
дан Данияр кезиге турган. Адатынча эч
кимге кошулбай, ал унчукпастан, салмак
менен бутун сылтый басат. Биз жандаша
түшкөндө, оор тарткан боюн керип, көйнө-
гүнүн бырыштарын жазып келе жаткан
Жамийланы Данияр эңкейген калыбында

кабактын астынан кыйык тиктеп өтөт. Ал
аны биринчи жолу көргөнсүп, ар дайым
ушинтип карайт. Бирок Жамийла муну
оюна да алчу эмес. Биз бирге кошулуп
иштегенден баштап, ал экөөнүн ортосун-
дагы мамилеси ушул: Жамийла кээде ан-
чейин тамаша үчүн тигиге үстөмдүк ме-
нен күлө сүйлөсө, кээде анын бары-жогун
такыр эле унутуп салган өңдүү, эчтеке де-
бейт, карап да койбойт. Бул өзү Жамий-
ланын көңүл иши. Көңүлү келсе жолдо
келе жатып Жамийла мени: «Айда аттар-
ды, кичине бала, кеттик! – деп үндөп коёт
да, отурган жеринен өйдө тура калып, кам-
чыны үйрө кыйкырып, арабаны айдайт.
Мен дагы калышпайм. Көз-ачып жумган-
дын ортосунда, жол баштап алдыда кетип
бара жаткан Даниярды биз кууп өтөбүз.
Чаңдын баары Даниярга капталып, ал арт-
та калат. Бул өзү тамаша болсо да, адам-
дын ачуусу келе тургандай жорук. Ошент-
се да Данияр таарынчу эмес. Чаңды бур-
куратып, биз жанынан өтүп бара жатсак,
ал айыптуу немедей жай эле күлүмсүрөп,
арабада тикесинен туруп, аттарды оңдоп
солго камчылап, каткырып айдаган Жа-
мийланы, унчукпастан таңыркап карайт.
Кантип жатат болду экен деп, артыма кай-
рыла калам: тумандай коюу чаңдын ара-
сында да Данияр ыраазы болгондой Жа-

мийладан көзүн түшүрчү эмес. Анын ошол таңыркаган көз карашында жаш баланын шоктугун мейличи деп кечирген өңдүү мээрим да, ичтен тымызын күйүт чегип, эч кимге сыр айтпай, тарткан санаа да бар сезилет. Жамийланын ушундай жоруктарын, какшыктап күлгөнүн, жадагалса аны теңине албагансып, жанында жүрсө ага карабай, сүйлөбөй коюшун Данияр эч бир көңүлүнө албаган сыяктуу, баарына чыдап бир да жолу сөз кайтарган жок. Адегенде Даниярга менин боорум ооруп:

— Жоош немени ушинте бергениң кандай, жеңе? — деп айтсам, Жамийла:

— Ай, койчу ушуну! — деп, колун шилтеп күлчү. — Бекер жүргөндөн көрө тамаша да! Аны эмне кудай алмак беле ошондон!..

Жүрө-бара жеңемдин бул тамашасына мен да кошулдум. Анткени Данияр Жамийлага өтө эле кадала карай турган болду. Өзгөчө Жамийла кап көтөргөндө, ал иш арада токтой калгансып, көзүнүн кыйыгы менен аны карайт да турат. Ар ким эле өзүнчө убараланып, жумуш менен алек болгон көпчүлүктө мунусун эч ким байкабайт деп ойлойбу, айтор, үнү кардыккан арабакечтер кыйкырышып, ат-араба тыгылышкан станциянын базар сыяктуу тополоңдуу короосунда, жалгыз эле Жамий-

ла элден башкача жаралгансып, канчалык кыйналса да, ээн-эркин жердегидей элпек кыймылдап, жайдары күлүп, чын эле көзгө көрүнбөй койбойт экен. Арабанын кырына тикесинен тургузулган буума капты Жамийла чалкалай берип, артынан кармаганда, бүт денеси ийиле созулуп, мойну, көкүрөгү керилип, күнгө күйгөн кара күрөң чачтын өрүмдөрү узара түшкөндөй, артына салмактанып, чала жумган кирпиктердин арасынан көздүн каректери жалт эте түшөт. Ошондо кап көтөргөн Жамийла кампанын эшигине жеткенче, Данияр аны жанагы үңүрөйө таңыркаган көз караш менен байкатпастан карап узатат. Бирок мен муну байкап эле жүрдүм. Башта анча деле көңүлгө албасам да, кийинчерээк барып Даниярдын минтип жеңеме кызыгып караганы мага жакмак турсун, намысымды келтирди: эч кимге ыраа көрбөй кызганган жеңеме, башкалар го мындай турсун, Данияр дегенди кантип эле тең көрөт элем.

«Тигини, ушунун да Жамийлада ою бар болсо керек, анан башкаларга сөз барбы! Ой, тооба!» – деп ачуум келип кыжырланып жүрдүм.

Даниярды эми момун деп аямак турсун, аны жек көрө баштадым. Ушундан улам мен дагы жеңеме кошулуп, аны шыл-

дың кыла турган болдум. Бирок биздин бул жоруктарыбыздын аягы уяттуу болуп чыкты.

Эгин ташыган каптардын арасында таардан тигилген, жети пуддук бир чоң карала кап бар эле. Аны ар дайым жеңем экөөлөп кампага жеткирип, жерге төкчүбүз, анткени бир кишинин алы келе тургандай эмес болучу. Бир күнү кырманда арабаларды жүктөп жатып, жеңем экөөбүз жанагы карала капты Даниярдын арабасына таштап, үстүнөн башка каптар менен бастырып койдук. Чыны, кантер экен деп, тамаша кылдык.

Ушинтип, күн чыга кырмандан жол тарттык. Жолдо орус кыштагында бирөөнүн багына кирип Жамийла экөөбүз алма уурдап чыктык да, жол катары каткырып күлүп келдик: Жамийла Даниярды «тос» демиш болуп, аны алма менен уруп келатты. Алма түгөнгөндөн кийин, биз адатыбызча Даниярга чаң каптатып, жанынан өтө чаап, бир топ узап кеттик. Данияр бизди капчыгайдан чыга бериште гана кууп жетти. Темир жолдун өткүчү тосулуу экен, ачылышын күтүп турганбыз. Бул жерден станцияга бирге келдик. Мына ушулардын ортосунда жанагы жети пуддук кап эстен чыгып да калыптыр, оюбузда эчтеке жок, эгинди ташып бүтүүгө жакын калганбыз.

Бир убакта Жамийла мени кабыргага түртүп, Даниярды карай көзүн кысып, күлүп койду. Данияр арабанын үстүндө турган экен. «Муну кандай кылсам?» – дегендей, жанагы чоң капты тыяк-быягынан карап, Жамийланын күлкүгө какала түшкөнүн байкай койгондо, заматта кумсарып түнөрдү, сынап жатканыбызды түшүндү окшойт.

– Ай, неме, ыштаныңды өйдө тарт, шыпырылып калбасын! – деди кыткылыктап тамашалаган Жамийла.

Данияр аны жаман көзү менен акырая бир карап алды да, капты нары-бери булкуп, арабанын кырына тургуза салып, бир колу менен сүйөй берип жерге секирип түштү. Биз «а-бу» дегенче болбой, зылдай болгон капты жонуна силкий көтөрүп эңкейген Данияр, кампаны көздөй басты. Адегенде биз кантер экен деп, байкамаксан болуп, сыр алдырган жокпуз. Башкалар болсо Даниярга сыра да көңүл бурушкан жок: элдин баары кап көтөрүп жүрбөйбү, ким менен кимдин иши бар эле. Бирок Данияр трапка жакындай келгенде, Жамийла артынан жүгүрүп жетти:

– Муну кайда алпарасың, соосуңбу, ташта ушул жерге, тамашаны түшүнбөйсүңбү?

– Тур нары! – деп, Данияр аны кагып салды.

Шагы сынган Жамийла күлүмүш болуп эле, тиги трап менен өйдө чыга баштаган Даниярды артынан карап:

— Карасаң ай, өлөрманын, көтөрүп бара жатат! — деп, айыптуу немедей бүдөмүк күлүп сүйлөндү. Жамийла ошол бойдон кыткылыктап күлө эле берди, бирок барган сайын анын күлкүсү суз тартып, ал өзүн өзү зордоп күлдүргөнгө окшоп жатты.

Данияр тигиндей барып эле, жарадар бутуна күч келип, аксай баштаганда, биз аны кандай гана азапка салганыбызды ошондо түшүндүк.

Даниярдын буту жарадар экенин эмне үчүн мурда ойлободук экен? Ай, менин балалыгым ай! — Муну ойлоп чыгарган шойкон мен эмес белем!

— Кайт артыңа! — деп, жиберди Жамийла, күлкү аралаш кыйкырып. Бирок артка кайтууга да кеч болуп калган, Даниярга удаа кап көтөргөн кишилер чубай келди.

Мындан ары эмне болгонун эсим чыгып, өзүм да жакшы билбей калдым. Менин бир көргөнүм эле Данияр. Көз алдымда ошол сабадай лыкыйган чоң карала кап. Данияр анын астында бүгүлө ийилип, трап менен өйдө чыгып бара жатат. Жарадар бутун ал сүйрөй сылтып, ага анча күч келтирбөөгө аракеттенгени менен, улам жа-

ңыдан кадам шилтегенде, ооруганына чы-
дай албай тиштене калып, башын чулгуйт.
Данияр жогорулаган сайын, үстүндөгү зор
карала кап, жонуна минип алган жандуу
немедей, аны оңдон солго теңселтип жат-
ты. Жеңем экөөбүздүн бул ойлобой кыл-
ган кылмышыбызга ушунчалык уялып,
эсим чыкканынан денем өлүп, калчылдап
кеттим. Данияр эмес кап көтөргөн мен,
ошол сыздап ооруган ок тийген бут мени-
ки сыяктуу, ал теңселгенде кошо теңсел-
генсип, көзүм караңгылап жатты.

Тигине, Данияр токтой калып, ээрдин
кесе тиштеп, көзүн жумду. Менин да ба-
шым айланып, жер көчүп бара жаткан-
сыйт. Бир оокумга эсим оогондой, эчтеке
билбей калдым.

Кимдир бирөө билегимден карыштыра
кармап, сындырып жиберчүдөй болду.
Мындай карасам Жамийла экен. Өңү жуу-
ган чүпүрөктөй бопбоз, эриндери мурдагы
күлкүнүн элесин сактаган бойдон чала ачы-
ла берип, көзүн Данияр дан албай, телми-
рип калыптыр. Биздин жаныбызга кам-
пачы да, башкалар да жүгүрүшүп келиш-
кен экен. Алар да эмне болгонун жакшы
түшүнө бербей, Даниярды карашат.

Мына, Данияр жүрүп бара жатып, ыл-
дый жылбышкан капты оңдойм деп, аны
өйдө силкти эле, туруштук бере албай ти-
зелеп жыгыла баштады.

– Ташта! Ташта капты! – деп, кыйкы-
рып жиберди Жамийла. Данияр тил ал-
ган жок. Капты алда качан эле траптын
четинен кулатып жиберсе болмок, ал анда
арттагыларды да коюп кетпес эле, бирок
өжөрлөнүп көгөргөн Данияр аны кылбады.
Жамийланын үнүн укканда, ал кайра чы-
мыркана калып, илгери умтулду. Азыраак
барып, дагы кетенчиктеп теңселе бергенде,
кампачы жаны чыккандай бакырды:

– Ташта, ташта дейм, иттин баласы!

– Ташта! – деп, башкалар да кыйкы-
рышты.

Данияр бул жолу да өз дегенин бербей,
нарыдан бери уруна чайпалып, алга бас-
ты.

– Ой, мунуң таштабайт, айтты дей бер!
– деди тургандардын бири, ошого көзү
жеткен немедей колун шилтеп. Жалгыз ал
гана эмес, жаныбызда тургандар да, кап
көтөрүп Данияр дын артынан трап менен
кошо чыгып бара жаткандар да, бул иш-
тин тегин эместигин, мында бир сыр бар
экенин, Данияр кап менен кошо кулап
түшпөсө эле, ал аны эч убакытта коё бер-
бесин түшүнүштү окшойт.

Бир оокумда сөз жок, үн жок унчук-
пай калышты.

Кампанын сыртында эшелонду ордунан
козгоп, паровоз күүлөнүп вагондорду ка-

гыштырууда. Өргө жүк сүйрөгөн аттай жата калып, Данияр траптын бийигинде. Теңселип жыгыла баштаганда, ал токтой калып күч жыйнап, кайра алдыга утурлайт. Даниярдын артынан келе жаткандар анын ыгына көнүп, ал токтогондо туруп калышып, ал басканда басышат, Даниярга карайлап, алар да кубаттан тайып, кара терге түшкөн. Бирок бири дагы аны сен деп, ооз ачып тилдеген жок. Ашуунун тайгак жолунда бирине бири кармашып келе жаткандай: кап көтөргөндөр үнсүз, тилсиз аракетте. Эгерде бири жаза тайып учуп кетсе, башкалар да анын артынан учуп кетчүдөй сезилет. Алардын ушул үнсүз каймылында кандайдыр оор салмак, бир ооздон чыккан дем бар: Даниярга удаа келе жаткан аял буту чалыгып, жыгыларына аз, бирок ал кудайдан өзүнө эмес Даниярга кубат сурап, ал үчүн арбактарга сыйынып жаткан өңдүү, ага боор ооруп карайт. Мына эми аз эле калды, Данияр дагы чымырканса, траптын түз жерине жете бара тургандай. Ушул учурда алдан кеткен Данияр жарадар бутун аярлаганга чамасы келбей шалактап үстүндөгү капты коё бербесе, жыгылганы эле калды.

— Жүгүр! Артынан сүйөп жибер! – деди мага Жамийла, өзү болсо Даниярды тосуп алчудай, шашканынан ага колун сунуп

көтөрдү. «Мен трап менен өйдө жүгүрдүм. Кап көтөргөндөрдүн арасынан сыгылып, көйнөгүмдү мыкка айыртып, Даниярга жете бардым.

Жонуна жүк аркалап, эңкейген калыбында Данияр колтуктун астынан мени бир карап алды. Бетинен жыш тер куюлуп, маңдайындагы кан тамырлар жарылып кетчүдөй кабарган, көзүнө каар менен жаш толгон. Даниярга жардамдашайын деп умтулдум элем:

– Тур нары! – деди ал заардуу киркиреп, анан капты өйдө силкип, жанын оозуна тиштегендей, акыркы күч менен анданмындан аттап, алдыга жүткүндү.

Шишиген, салмактанган колдору шалдырап, бутун сүйрөп Данияр траптан түшкөндө төмөндө күтүп турган эл, унчукпай тең жарыла берди. Жалгыз гана кампачы токтоно алган жок. Ачуусу келген бойдон ал Даниярга жулкунду:

– Сен эмне бала, жиндеп кеттиңби, я? Же мен ошончо ит белем: бир ооз айтсаң, алдагы жерге эле төктүрүп салбайт белем? Ким айтты сага ушундай каптарды көтөрсүн деп?

– Ишиң болбосун, өзүм билем, – деди Данияр жай гана, анан чырт түкүрүп арабасын көздөй басып кетти. Жамийла артынан шыбырады:

— Тамашаны түшүнбөгөн акмак!

Ушуну айтканы менен өзү башын өйдө көтөргөн жок. Данияр аны уктубу, укпадыбы, бирок азыр кайрыла калып, бизге эмне десе да, жеңем экөөбүз анын бетин тик карай албас элек.

Айылга кайтып бара жатып, жол катары бирибиз да ооз ачып сүйлөгөн жокпуз, Данияр үчүн бул көнүмүш иш, ал ансыз да сөзгө саран, ошондой болсо да бүгүнкүсү бизге катуу тийип жатты: же анын биротоло жүз карашпай таарынганы ушубу, болбосо ак көңүлдүк кылып, жанагы болгондорду алда качан унутуп да койдубу, айтор, ким билсин аны? Биздин унчукпаганыбыз го түшүнүктүү: бир чети уялгандан жер карап, бир чети ороюраак болсо да, арам санатайы жок тамашаны Данияр чын көрүп, көңүлүнө жакын алганын жактырбай келе жаттык.

Эртең менен эгинди капка салып жатканда, Жамийла жанагы кырсыктуу карала капты алды да, буту менен басып туруп, тигиштерин эки колдоп айрып-айрып жиберди. Бөлөк-салагы чыккан таарды ал таразачынын алдына ыргытты:

— Ме, ал алдагы таарыңды! Бригадириңе да айтып кой, экинчи мындай капты берчү болбосун!

— Ой, сен өзүң соосуңбу, бул эмнең?

— Эчтеке эмес!..

Ошонун эртесинде күндөгүдей станция-
га келип, кашкарайганда кайра айылга жол
тарттык. Данияр алдыбызда кетип бара
жаткан. Анын таарынчысы, ызасы жа-
зылдыбы биле алган жокпуз. Аны билүү да
кыйын эле. Ортобузда эчтеке болбогонсуп,
Данияр мурдагыдай эле бир сырдуу, токтоо
мүнөз. Болгондо, кечээ ал жараатын аябай
эле кокустатып алса керек, демейдегиден
катуураак аксап, өзгөчө кап көтөргөндө
кыйналып жүрдү. Ал эчтеке дебесе да, ушу-
нун өзү, биз күнөөлүү экенибизди бассак-тур-
сак да эске-салып, көңүл оорутту. Деги эм-
неси болсо да, Данияр бир ооз тамашалап,
күлүп койсо, ушуну менен бардыгы өз жайы-
на келип, унутулуп да калат эле.

Жамийла болсо, ал дагы өз намысын
бербейт, оюнда эчтеке жоктой сыр алдыр-
бай, күлүмүш болуп, сыртынан жайдары.
Ушинткени менен нары жагында капала-
нып, кейит чеккени сезилип эле турду.

Мына ушинтип, биз айылга кетип бара
жаттык, чиркин, ошол күнкү түн бөтөнчө
жаратылгансып, эң эле көрктүү болду.

Ким билбейт, жайдын толгон кезинде-
ги август түндөрүн! Асмандагы жылдыз-
дар алыста турганы менен, ар бири өңүнө
чыгып, алаканга салгандай ар бири өзүнчө
нур төгүп, чет-четинен бүлбүлдөгөн күмүш
кыроо чалып, асмандын тиги каптал, бу

капталына жайнап кири жок жадырап карашат.

Жылдыздар ушинтип толгондо, биз капчыгай аралап келе жатканбыз. Аттар салкынданып, үйдү көздөй көңүлдүү жортууда. Араба качыр-кучур дүңгүрөп, ташка тийген такалардан учкун чагылат. Капчыгайга сырттан келе берген сыдырым талаанын алда кайсы жеринен бүрдөгөн эрмендин кермек-ачуу чаңын учуруп, аңызда шамалдап жаткан самандын билинербилинбес коңур жытын лепилдетип, жол катары шыралжын буруксуп, ушунун баары терге жибиген каамыт-шлиянын карамай жытына аралашып, адамды эңги-деңги мас кылгансыйт. Жол үстүнө үңүлгөн аскалар кыйгач көлөкө таштап, нары сайдагы бадалдын арасында Күркүрөө жаны тынбай алдастайт. Тээ артта калган темир жолдо поезддер көпүрөдөн нары өтүп, бери өткөн сайын жаңырык ээрчитип, гудокторду алыска-алыска созолонтот.

Ушундай түндө жол жүргөн кандай жакшы! Караңгыда термелген аттардын жондорун карап отурсаң, ушул түнкү дабыштарга кулак салып, ушул түнкү жыттарга мас болсоң кандай жыргал!

Жамийла ошондо менин алдымда кетип бара жаткан. Тизгиндерди бош коё берип, ал эки жагына көз сала, акырын гана

кыңылдап ырдамыш болот. Биздин унчук-
пай, сүйлөбөй келе жатканыбыз анын
көңүлүн басынтып жатты. Мен аны билип
эле турдум. Чын эле ушундай түндө да ун-
чукпай коюш болобу? Адам деген тилдүү,
жандуу болсо, анан табийгаттын ушул
көрүнүшүнө жооп бербейби?

Айткандай эле Жамийла тынч отурал-
ган жок: акыры үнүн көтөрүп ырдап жи-
берди. Менимче, мунун дагы бир себеби
болду го дейм: Жамийла ушинтип, Данияр-
дын таарынчысын жазып, капасын ачмак.
Кээде адамдар бириникин бири кечиргени
эле турат, бирок ошого болор-болбос да ал-
гачкы түрткү керек эмеспи. Мүмкүн, Жа-
мийланын оюна ушу кеттиби, иши кылып
ал ынтаасын коюп, ичке, шыңгыраган үн
менен көңүлдөнүп ырдады.

«Шай оромол бир байлам,
Жанымда жүрсөң садагам...» —

деген сыяктуу секетпайлар Жамийлада то-
луп жатат. Аны угуп отуруш да өзүнчө бир
жакшы. Ырдап келе жатып, Жамийла бир
убакта алдыда бара жаткан Даниярга кый-
кырды:

— Ой, сустайган неме, ырдап койсоң бол-
бойбу? Жигитсиңби өзүң, же өлүксүңбү?

Данияр арабасын токтото берип, бери
кайрылды да уялгандай үн менен:

– Ырдай бер, Жамийла, кулак сенде! –
деп койду.

– Башка эл эмне кулагын шыпыртып
салыптырбы? – деди Жамийла кекете как-
шыктап. – Ырдабасаң жөн кой, бой
көтөргөнүн мунун!

Анан: «Сен ырдабасаң мен ырдайм» –
дегендей эрегишип, кайра өзү ырдады. Ал
эмне үчүн Даниярды ырда дегенин ким
билет, же ушуну менен аны сөзгө алаксыт-
мак болдубу? Менимче, ошондой болуш ке-
рек, анткени бир аз өткөндөн кийин, Жа-
мийла Даниярды дагы үндөдү:

– Ай, Данияр, деги сен бирөөнү сүйдүң
белең? – деп, өзү эмне үчүндүр күлүп жи-
берди.

Данияр жооп берген жок, Жамийла да
унчукпай калды. Бир азга капчыгай ичи
тынчтана түштү. Дөңгөлөктөр гана дүңгү-
рөп, аттар башын чулгуй, бышкырынат.

«Ырдай турган кишини тапкан экен-
сиң!» – деп, күлүп койдум мен.

Жолдун туурасын кесип, шаркырап
аккан сууга жеткенде, Данияр арабаны
жайыраак айдап, күмүштөнгөн кечтин
таштарына такалардын чакылдап урулга-
нын, атайын эңкейип тыңшай калды. Анан
бир убакытта «чу» деп, аттарды желдир-
ди да, күтпөгөн жерден:

Ой, Ала-Т-о-о, Ала-Т-о-о,
Ата-бабам өскөн жер! –

деп, араба секиргенде кошо секирип, ди-
рилдеген үн менен ырдап жиберди. Бирок
ошол замат уялып кетти окшойт, үнү му-
кактанып, чыкпай калды эле, кийинки эки
сапты, ал көкүрөгүн абага толтуруп, обо-
нун бийик көтөрүп ырдады:

Ой, Ала-Т-о-о, Ала-Т-о-о,
Ак булут калкып көчкөн жөр!

Эмне болгонун билбейм, бул жерден ал
дагы мурчуя түштү. Ошол бойдон унчук-
пай да калды. Ай, уялчаак киши курусун,
андан көрө ырдабай эле койбойбу! Кудай
билет, бети дуулдап өрттөнүп кеткен чы-
гар, ал эмес, ал үчүн мен да оңтойсуздана
түштүм.

Анткен менен Даниярдын ушул эле ооз
ачып ырдаганынын өзүндө кандайдыр со-
нун, укмуштуу обон бар экени дароо эле
сезилди. Үнү да мыкты көрүнүп калды.

«Тигини!» – дептирмин мен таң калып.
Жамийла болсо тимеле кыйкырып жи-
берди:

– О, кайран неме, башта кайда элең?
Ырда эми, жөндөп ырда!

Данияр унчукпай келе берди. Алды жак-
та капчыгайдын чыга бериши агарып,

өрөөндөн келген жел бетке сокту. Жана баштаган обонду Данияр дагы улантса экен деп, чыдамсыздык менен күттүм. Бир аз өтө түшүп, ал кайра ырдаганда, мен чындап эле сүйүнүп кеттим.

Адегенде Данияр мурункудай эле үнү кысталып батына бербей акырын баштады. Бирок бара-бара үнү улам ичтен күч алып, арышын кең таштап, чабыты толгондо, капчыгай ичи баштан-аяк жаңырып, алыскы аскалар Данияардын обонун эки-үч кайтара улантып жатты. Анын үнү дагы да чыйралып, күчөй берди. Ошондо шаңшып созолонгон үнү гана эмес, Данияардын обонунда болгон жалын менен чексиз мээрим адамды таң калтырып, жакасын карматты. Ушунун өзү эмне экенин, аны эмне деп айтарымды билбедим: ырчынын көмө-көйүнөн чыккан үн элеби, же болбосо андан башка, жүрөктүн өзүнөн оргуп төгүлгөн дагы бир нерсе барбы? Ал өзү эмне, ал эмне адамдын жанын эргитип ой-кыялын ойготкон? – азыр да айта албайм.

Атаганат колдон келсе кагазга жазып отурбай, бул укмуштуу обондун өзүн салып берсем кана! Анын ыры сөзү жок эле үн менен обон. Анда-санда гана бир ооз сөз айтып коюп, анан бир топко чейин жөн эле үн салып, демин тартпай безеленет. Деңиздин толкуну удургуп каптагандай,

төктүрмө обон ташынып, анын сөз айтуу-
га чамасын келтирбей жатты. Бала болуп
мен мындайды эч качан угалек элем. Бул
бир өзүнчө тубаса үн, тубаса обон. Жүрөгү
зор адамдын ой-санаасын, кубанычын, ти-
легин баяндаган зор обон! Ал кыргызча-
га, казакчага да окшобойт, бирок тыңшап
отурсаң, бул обондо байыртан бир боор-
дош кыргыз менен казактын тандалган төл
обондору ширетилип кошулгандай туюлат.
Обон бирде казактын уч-кыйыры жок ай
талаасындай, кенен агымда жайкалып көй-
көлсө, бирде кыргыздын зоокалуу тооло-
рундай, бийик заңгырап көкөлөйт. «Ка-
пырай!» – деп жаттым мен. – Данияр ушун-
дай экен да? Капырай, анын мындайы ким-
дин оюнда бар эле?»

Капчыгайды басып өтүп, жолу даңгыр,
жайкалган өзөнгө чыкканда, Данияpдын
ыры көкүрөк черин жазып, жаңы күч ме-
нен талпынды. Өмүрү угуп көрбөгөн кере-
меттүү обондор, бирине бири куюлушуп,
биринен бири өтүп алмашууда. Даниярга
бүгүн эмне болгонун түшүнбөй жаттым.
Так ушул бүгүн, так ушул саатта ай-күнү
жеткендей, ичтеги бук болуп камалган бар-
дык сырын, байлыгын Данияр мына азыр
ачыкка чыгарып, алтын чачыладай төгүп
берди. Мына эми гана мен Даниярдын эмне
үчүн маңыроо сыяктанып, элге күлкү бо-

луп жүргөнүн, эмне үчүн кечкурунда ка-
роол дөбөгө чыгып барып, өзү жалгыз
кыялга батып отурганын, эмне үчүн шар-
кырап ташынган суунун боюна түнөп жүр-
гөнүн, эмне үчүн кандайдыр угулар-угул-
бас дабыштарды тыңшагансып, ошондо
кашы өйдө серпилип, көзү кубанычка тол-
гонун, мына эми гана бир чети түшүнгөн-
сүдүм. Бул адам, жүрөгүнө чоң сүйүү алып
жүргөн адам! Анын бул сүйүүсү, менин
оюмча, канчалык ысык көрүп, шыгы түш-
көн жалгыз бирөөгө гана арналган сүйүү
эмес, кандайдыр андан да зор, андан да
алп, турмуш-жашоонун өзүнө жан берип,
жан жараткан ааламдай жерге, жарык
дүйнөгө болгон өлчөмү жок чоң сүйүү! Көр-
сө, ал ушул сүйүүнү көкүрөгүнө сактап
өчүрбөй, ошону менен жашаган адам экен.
Эгерде андай эмес башкача болсо, эгерде
ал дити супсак, жүрөгү муз болсо, жара-
тылыш аны кандай гана таңдайы жок
обончу кылбасын, ал азыр минтип ырдай
албайт эле. Даниярдын обону ушул кезде
түнкү өзөндүн үстүнөн жайыла каалгып,
көзү илинип, мемиреп бара жаткан кең та-
лаанын бешигин алдейлеп терметкендей,
алыска жумшак созолонуп, акырындап
өчөрүндө жаңыдан безелене үн алып, та-
лыкшып уюган жерди кайра ойготуп, уйку-

сун ачат. Өзү дем берип, өзү жараткан ырчыны ойгонгон албан талаа кулак салып, тыңшап жатты. Тигине, арык бойлой жарданып, орок күткөн эгиндер ай жарыгында күүгүм көлөкө ойнотуп, үстү-үстүнөн көлкүлдөп ыргалат. Жолдон окчун жерде эски тегирмендин кыркалекей теректери жалбырак дирилдетип, алда эмнени угузбай шыбырашкансыйт. Суунун аркы маңдайында, белес-белесте кырманчылар от жагышып, эртеңки көжөсүн кайнатууда. Тигине, кимдир бирөө алда кандай иш менен шашылып, кокту бойлой далбаңдап, кыштакты көздөй чаап бара жатат. Алдыда кыштактын бак-дарагы дүпүйүп, андан келген жел эзилип бышкан алманын ширесин, сото кучактап гүлдөгөн жүгөрүнүн балыр-таттуу дүмбүл жытына, короолордо жайылган тезектердин жылуу демине аралашып, аңкытат.

Данияр дагы көпкө чейин обон салып, ырдап келди. Чалкыган август түнү аны тыңшап, обонго арбалгандай терең тынчтыкта уюп магдырады, ал түгүл аттар да, арабаларды жай терметип, жай басышты. Мына ушинтип, адамдын денесин балкыта, толукшуп ырдап келе жаткан Данияр бир убакытта үнүн бийик закымдата келип, ырын чорт токтотту да, аттарга аласала камчы уруп, айдап жөнөдү. Менин

оюмда Жамийла дагы анын артынан тү-
шөт экен деп, тизгиндерди жыйып, алар-
дын соңунан калбай утурламак болдум,
бирок Жамийла козголуп да койгон жок.
Башын бир жагына кыйшайткан калы-
бында терең кыялга чөгүп, нес болгон сы-
яктуу ошол бойдон былк этпей отура бер-
ди. Обондун абада калган учкундары дагы
эле көкөлөп жүргөндөй, Жамийла аны
сыйкырланып тыңшагансыйт.

Данияр ушуну менен токтобой, бир аз-
дан кийин көрүнбөй калды. Биз болсок
айылга жеткенче бир ооз да сүйлөшкөн
жокпуз. Анын себеби, адамдын ичтегисин
сөз менен айтып берүү кээ бир учурда кол-
дон келе бербейт го дейм...

Ушул күндөн тартып биздин турмушу-
бузга бир түрлүү жаңы бир нерсе кошул-
гандай болду. Мени дайыма алда эмнеге
сонуркатып, кандайдыр жакшы сезимдер
жүрөгүмө толуп, өз алдымча сүйүнтүп жүр-
дү. Эртең менен кырмандан жөнөгөндөн
тартып, станцияга келип, кайра жолго
чykканча, капчыгайга качан жетер экен-
биз деп, кечки салкын менен төгүлгөн Да-
ниярдын обонун угууга ынтызар болуп,
чыдамым жетчү эмес.

Анын үнү, анын обону менин кулагы-
ма сиңип, кайда бассам-турсам да, артым-
дан калбай кошо ээрчигенсийт.

Бул обон, күндүн мурду кылтыйып жаңы көрүнөрүндө, саманда жаткан жеримден тура калып, жылаңайлак, жылаңбаш шүүдүрүм беде менен, сайдагы тушалган аттарды көздөй чуркаганымда, жүрөгүмдө күү чалып угулгандай. Мөңгүлүү кыр аркадан төгүлгөн күн, аны билгенсип, мени карай күлүмсүрөп жаркырайт.

Күрөккө ченей сузуп, алтын жаандай чачыратып, кызыл сапырган чалдардын кыймылында да, сары-күрөң өзөндүн үстүнөн, асманда жай баракат керилип айры куйруктун каалгып учушунда да, бул обон угулат. Ошондо мен көрүп, мен угуп, мен сезгенимдин баарында Даниярдын обону жүргөнсүйт.

Ал эми кечинде, капчыгай менен араба айдап бара жатканыбызда, мен башка бир укмуштуу дүйнөгө көчүп кеткендей болчумун. Даниярдын ырына кулак салып, көңүлүм толкуп ыргалам. Ошондо эне сүтү менин каныма сиңип, жаштайымдан тааныш болгон көрүнүштөр көз алдымдан чубап өтөт. Бирде үлбүрөгөн ак-боз булуттар көгүлтүр асманда айылдын үстүнөн жазгы көч жүргүзүп, бирде жер дүңгүрөтүп кишенешкен жылкы, үйүр-үйүрү менен жайлоого сабалап, азый чыкма айгырлар көкүлдүн астынан албууттанган от ойнотуп, үйүрүн кызгана чарк айланып, эли-

рип азанашат. Бирде капталга койлор жа-
йыла тартып, бирде бийиктен кулаган кө-
бүктүү шаркыратма күпүлдөп, бирде эр-
гиген кең талаа жайкалып, чийлердин ара-
сына чөгүп бара жаткан күн мелтилдеп,
асман менен жердин кошулган жүлүндөй
жигинде жалгыз атчан күндүн артынан
чапкылап, аны азыр колуна кармап алчу-
дай жакындап барып, күн менен кошо куй-
кум иңирде эрип, көздөн кайым болууда.

О, айланайын кең талаам! Казак боор-
дошум жердеген, алп талаам! Мынакей,
биздин тоолорду эки жакка керип, таш-
тап, чий менен шыбакка ыргалып, көз
жетпеген деңиздей көлкүп жатасың. Ким
билет сендеги жаткан күчтү! Жарыктык,
сыртыңдан карасаң, эч бир жан жоктой
бозоруп жатканың жаткан. Бирок кечеги
эле эстен кеткис жайда согуш башталып,
душмандар өлкөбүзгө кол салганда, туш-
туштан талаада оттор жалындап, туш-тушка
чабармандар ат коюп, жоокерлер мин-
син деп, айдаган канаттуу күлүктөр ысык
чаң тумандатып, дүбүртүнөн асман чайпал-
ды. Ошондо аркы өйүздө токтой калган
кабарчы казак, ат оозун жыя:

— Аттан, кыргыз аттан! Жау келди! —
деп чуу коюп, саратан куюнга аралаш дагы
да алда кайда чапкылаган.

Ошондо кең талаам, өзөнүм, тоолорум силкинип, өз элин атка мингизди. Ат жалын бура тартып, жигиттер жабыла аттанганда, жер толкунуп, жоо күүсүн чалды. Өрөөнгө батпай, миңдеген үзөңгүлөр кагышып, түмөндөгөн миң сан жоокерлер чырактай көздөрүн жалындатып, эл менен, журт менен коштошту. Алардын алды жагында кызыл туулар желбиреп, арт жагында туяктан чыккан чаң менен ый аралаша энелер, жубайлар боздошот: «Кең талаа, колдо! Касиеттүү тууган жер, колдо! Манас, колдо!»

О, айланайын кең талаам, тоолорум, элиме ушул күч-кайратты берген касиетиңден силердин!..

Мына ушунун бардыгын Данияр обонго салып, көз алдыма сүрөт тарткандай, укмуштуу чоң дүйнөнүн көркүн ачып көрсөтөт. «Капырай, ушунун баарын ал кайдан үйрөндү, кайдан укту экен?» – деп таң калып кызыгам. Ошентсем да, өз эл-журтун, тууган жерин мындай сүйгөндүк, мындай өлчөмү жок сагынуу, көп жылдар бою алыста, четте жүрүп, көрүүгө зар болуп, эңсеген адамдын жүрөгүндө гана жаралып, пайда болорун өз акылымда түшүнүп да жүрдүм. Мен үчүн Данияардын бул обонорунда анын жер кыдырып, жол-жолдо жетимче жүргөнү да, Россиянын көп азаптуу

кан майдан талааларын басып өткөндөрү
да эстетилүүчү. Мүмкүн, Ата Мекен жөнүн-
дөгү ушул жалындуу обондор ошондо туул-
ган чыгар. Мындай учурларда, Даниярды
угуп отуруп, астындагы боз топурак кең
талаа жерди, адам баласы ушунчалык сүй-
гөнү үчүн жата калып аны өз энендей бек
кучактап, өпкүлөгүң келет. Мына ошондо
биринчи жолу менин жүрөгүмдө кандай-
дыр жаңы бир нерсе ойгонуп, көкүрөктү
дегдеткен эңсөө кыстап, мен дагы ушул
жер келбетин, жер көркүн Даниярча сезе
билип, сүйө билип, мен дагы ушинтип элге
айтып берсем экен деп тиледим. Өзүм да
жакшы түшүнө бербеген белгисиз алда
эмненин келерин күтүп, ошого сүйүнүп да,
сүрдөп да жүрдүм. Ошол белгисиз күтүү,
түшүнүксүз эңсөө чыгармачылыктын ал-
гачкы чакырыгы экени, келечекте мен тур-
мушту боёктор, сүрөттөр аркылуу көрсө-
түүгө аракеттене турганымды, анда бил-
ген эмес экенмин.

Сүрөт тартууга кичинемден эле колум
эптүү эле, окуу китептериндеги сүрөттөрдү
карап отуруп окшоштура тартканымда,
балдар: «Ой, ит оой, куду эле өзүндөй, ка-
рачы!» – дешип мактай турган. Мугалим-
дер да мектептеги дубал газетаны мага
кооздотушчу. Бирок кийин барып, сүрөт
тартууну эстен чыгарууга туура келди.

Согуш башталып, агаларым аскерге кеткенде, мен окууну таштап, өз курдуу теңтуштарым менен колхозго иштеп кеттим, сүрөт деген кимдин оюна келсин анда. Ал кезде сүрөтчү болуу ойдо да жок иш, бирок ошондо эле Даниярдын обондору менин кыялымды толкутуп, турмуштун көркүн сезүүгө талпынтты...

Өңүмдө эмес түштөгүдөй бул таттуу кыялга әңги-деңги берилип, дүйнөгө жаңы туулуп, көзүм жаңы ачылгансып, ушул айлана аймакка суктана таңыркап карадым. Мен үчүн мунун өзү турмушумдагы чоң окуя сыяктанды.

Ал эми Жамийланын өзгөрүлгөнү эмне! Баягы тамашакөй, шайыр мүнөз келин эмне үчүндүр жоошуй түшүп, анын мурда ойноктогон өткүр көздөрү эми ичтен муңдана, тумандуу жазгы күн сыяктуу, жылуу мээримге толуп, назик тиктейт. Жолдо кетип бара жатканыбызда, Жамийланын жүзүнөн дайым бир ой кетпей, ээрдинде үлбүрөгөн күлкүнүн көлөкөсү адашып, ал өзү гана билген кандайдыр жакшы бир нерсеге ичи жылыгансып, ошого сүйүнгөн өңдүү туюлат. Кээде болсо, тескерисинче, алда эмнеден эси чыккандай, капты арабадан ийнине силкип алып, ошол бойдон ордунан козголбой туруп калат. Оргуштана аккан суу алдынан кокус кездешкендей,

ушул шок сууну кечсемби, же кечпесемби деген сыяктуу, Жамийла ошондо илгери аттангандан коркуп, дал болуп апкаарыйт. Данияр болсо, ал эмне үчүндүр жакын жолобой, көзүнө тик кароодон качып, сырттап жүрдү. Жамийла ага мурункудай эле назар салбагансып, тоотпой коюуга канчалык аракеттенсе да, акыры бир жолу кырманда, айласы куругандай, Данияр кыжырлана сүйлөндү:

— Алдагы үстүңдөгү көйнөгүңдү чечсең боло! Берчи бери жууп берейин!

Көйнөктү сууга алып барып жууду да, жашаңга жайып коюп, өзү жанына отуруп, көйнөктүн бырыштарын жазган өңдүү, аны көпкө чейин алаканы менен акырын сылап отурду. Кээде ал көйнөктүн тозулган ийиндерин күнгө салып, муңдана тиктеп, эмнегедир кейигенсип башын чайкап жатты.

Ушул кийинки күндөрү Жамийла бир эле жолу баягысындай шаттана каткырып, көздөрү жайнап, кадимкисиндей шаңдуу болду. Ал күнү иштен келе жаткан жоон топ чөпчүлөр кырманга кайрыла калышты эле. Арасындагы аскерден кайтып келген жигиттер:

— Эй, байлар, буудай нанды өзүңөр эле жей бересиңерби, бизге берериңер кайсы, болбосо сууга салабыз! — дешип, айрыла-

ры менен тап берип, тамашалап айбат кы-
лышты.

– О-о, кайран көсөлдөр, аныңардан
коркор кырманчылар бекен! – деп, Жамий-
ла жагалдана тура калды. – Мына сый кел-
ген келин-кыздарды сыйларбыз, силер
жөнүңөр менен болгула!

Жигиттер шылтоо табалбай эле турса
керек, ого бетер күчөштү:

– Андай экен кыз-келиниң менен кошо
баарыңарды сууга салабыз!

Ошол замат шапа-шуп кармаша кеткен
жаштар, кыйкырык сүрөөн менен, бирин
бири кийимчен, өтүкчөн бойдон сууга сүй-
рөшө баштады. Ушул оюн-тополоң ичинен
Жамийла баарынан шаңдуу кыйкырып:

– Тарт, кокуй, өлбөгөн жерде калалы!
Карма! – деп, жигиттер менен шамдагай-
лана алышып, эч кимисине моюн бербей
жатты. Анын үстүнө ушунча кыз-келин-
дин ичинен жигиттер жалгыз эле Жамий-
ланы көргөнсүп, эмне үчүндүр ар кимиси
Жамийлага эле асылып, аны бегирээк ку-
чактап, кысууга аракеттенишет. Бир уба-
кытта алар үчөөлөп жатып, Жамийланы
жерге жыгышты да, туш-тушунан кармап,
сууга алып жөнөштү.

– Өпкүн азыр, болбосо кеттиң, сууга!
Өпкүн! – дешип, жыргап каткырган жи-
гиттер Жамийланы жээктен эңкейте бе-
ришти.

— Карма, балдар! Ал күүлө!

Боору эзилип күлгөн Жамийла балык-тай колго токтобой ийилип, келиндерди жардамга чакырып кыйкырат, бирок тиги-лер чый-чуй этип чыркырашып, сууга ак-кан жоолуктарын кармоо менен алек. Жигиттер Жамийланы күүлөп туруп суу-га ыргытканда, дуу жарылган күлкүгө суу дагы дуу жарылып, күмүштөй чачыран-дылар бүркүлдү. Али да күлкүсү тыйылба-ган Жамийла, суудан күлө тура калды. Ошол чачы саксайган, суу бойдон ал му-рункусунан да сулуу көрүндү. Чыт көйнөгү эт-этине жармашып, мүчөсүн кыналып сүрөттөгөндөй, тирсейип түйүлгөн эмчек-тен тартып, белине чып бурала, соорусу-нан жылгаланып, чың булчуң сандарына оролгон. Жамийланын аны менен иши жок, күлкүгө ыргалып, бети башынан, үс-түнөн шоргологон сууну да байкабайт.

— Өпкүн азыр! — дешет, аны бура бас-тырбаган жигиттер. Жамийла эркелеп, акебайлап аларды өөп да жатты, бирок тигилер ага карабай аны ансайын сууга күүлөтүп ыргытышат. Жамийлага ушунун өзү жагып жатты бейм, кайра эле тура ка-лып, кайра эле күлкүгө боору катып, бөй-рөгүн таяна жыргап күлөт. Жаштардын бул ойнуна кырманда күлбөгөн адам жок. Эгин сапырган чалдар күрөктөрүн таштап,

ушул кезде баягы кайран жыйырма беш-
тегидей, беттеринен күрөң бырыштары жа-
зыла берип, көздөрүндө мурунку шайыр-
лыктын оту жанданып, алар да алаканын
шак чаап: «О, кокуй, карма, жет! Этектен
бура тарт!» – дешип, көк бөрүдө улак тарт-
кансып кызуулана кыйкырышып жатты».
Мен дагы кызыкка батып, аябай күлдүм.
Бул жолу жеңемди кызганып, коруунуу да
унуткан экенмин. Ушунча элдин ичинен
күлбөгөн, унчукпаган жеке эле Данияр
болду. Аны көрө койгондо мен да тып ба-
сылдым. Кырмандын четинде Данияр өзү
жалгыз турган экен. Алдыга жүткүнө бер-
гендей умтулуп, түрү ал азыр жүгүрүп ба-
рып, Жамийланы жигиттердин колунан
жулуп алчудай. Өзү кол тийгизүүдөн тар-
тынып, күн перизатындай көргөн Жамий-
ланы, азыр минтип опоңой эле кучактап,
жулмалап ойногондору Данияардын жаны-
на батып жатты окшойт. Анын күйүтү да,
бактысы да Жамийланын сулуулугунда
болуп жатты. Элден канчалык кызганга-
ны менен, жаркылдап күлгөн Жамийла-
дан көзүн албай, Данияр анын бул жору-
гуна кейип да, сүйүнүп да, кабактын ас-
тынан эркелете көз салып тиштенип ка-
рап турду. Жигиттер Жамийлага туш-туш-
тан асылып, беттерин тосуп өптүргөндө,
Данияардын иреңи кумсарып, ары басып

кетүүгө аракеттенип эле жатты, бирок ке-
тип да кала албай, ордунда каткан бойдон
тура берди. Бир убакытта Жамийла дагы
анын карап турганын байкады окшойт,
шагы сынгандай эле сустая түштү да, аны-
сын билбей дагы эле асыла берген жигит-
терди кагып салды:

— Жетишет, оюн бир, тамаша эки!

— Ии, сага эмне болду? — деп, кимдир
бирөө ойной каткырып, ансайын күчөп
асыла кеткенде, Жамийла аны көкүрөккө
түртүп жиберди:

— Эмне болгонду эмне кыласың? Тур
нары! Анан ал жагалдана бой түзөп, Да-
нияр жакты жалт карап алды да, бадал-
дын арасына көйнөгүн сыкканы жүгүрүп
кетти.

Данияр менен Жамийланын ушул туюк
мамилеси акыры эмне менен бүтөрү мен
үчүн анда түшүнүксүз. Чыны, аны кууп
ойлоодон коркчумун, кайра өзүмдү алак-
сыткандай ойлобоско тырышам. Бирок
Жамийланын Данияр дан четтеп жолобой
жүргөнү жана ошого өзү кайра кайгыла-
нып кыйналганы, эмне үчүндүр көңүлүмдү
оорутуп, мени капага салчу. Андан көрө
мурункусундай эле кээде күлүп, кээде как-
шыктап коюп, ачык-айрым жүрсө болбойт
беле? Ошентсем да, түнкүсүн айылга кай-
тып бара жатып, Данияр обон салганда,

алар үчүн менин ичим ушунчалык жылып, жүрөккө толгон кубаныч ушунча ташкындайт, жанагынын баары эстен чыгып, мен үчүн анда дүйнөнүн рахаты гана бар. Капчыгайды өтүп, өзөнгө чыкканда Жамийла ар качан арабадан түшүп, жөө басат. Мен дагы анда арабадан түшөм, анткени обонго эрип шашпай жөө баскан эң бир сонун жыргал! Жолдун чаңы да ошондо бутка мамыктай болуп, жылаңайлак жерде эмес, асманда булут менен кетип бара жаткандай эң бир сонун жыргал! Адегенде жеңем экөөбүз өз-өз арабабыздын жанында басабыз. Анан бара-бара улам Данияргa жакындай берип, так жанына барып калганыбызды өзүбүз да байкабай калчубуз. Кандайдыр көзгө көрүнбөгөн күч адамды Данияргa жетелегендей, эрксизден жакыныраак баргың келип, ушул ырдап жаткан түнт мүнөз, унчукпас Данияр дын чын эле анык өзүбү, эгерде ал болсо, анын ушул кезде жүзү, өңү кандай экенин көргүң келет. Көңүлү толкуп, обонго жаны балкыган Жамийла ар дайым ушинтип жакындай барганда, өзү да билбей Данияргa акырын колун созчу. Бирок шаңшып ырдаган Данияр аны байкачу эмес. Анын ою, кыялы асманда көкөлөп жүргөндөй, ал кайда бир узакка көз салып, желкесин алаканы менен сүйөй, обондун агымына каалгып

термелет. Жамийланын колу ошол сунул-
ган бойдон ылдый түшүп, арабанын кы-
рына барып тийгенде, ал эсине келе түш-
көндөй селт этип, колун тарта коюп, орду-
нан жылбай туруп калчу. Жолдун ортосун-
да селейип каткан Жамийла, ошондо жү-
рөктү элжиреткендей, муңга чайылган, жа-
лынычтуу көз караш менен бир топко че-
йин Даниярды узата карап, анан кайра ар-
тынан сеңгиректей келет.

Мына ушулардан улам, жеңем экөөбүз-
дүн бирдей тынчыбызды алып, менин да,
анын да көңүлүн дегдеткен түшүнүксүз се-
зим, чынында бирдей эле, окшош сезим го
деген ой кетчү мага. Мүмкүн, ал сезим баш-
та ар кимибизде билинбей жашыруун бол-
гон чыгар, эми болсо анын күнү тууп, саа-
ты жеткен өңдүү күч алып, жүрөктөрдү
бийледи.

Жумушта иш менен алаксып, Жамий-
ла анча сыр байкатчу эмес. Ал эми кээ
бир учурда кырманда кармалып калып,
азыраак эле кол бошой түшкөндө, Жамий-
ла өзүнө орун таба албай алдастап калат.
Бошчулуктан эмне кыларын билбегендей
ары басып, бери басып, эгин сапыргандар-
дын жанына бара коюп, аларга атайын
жардамдашмакчы болуп, эки-үч күрөк
эгинди күч менен бийик ыргытат да, ошол
замат шалдырай түшүп, күрөктү четке

таштап басып кетет. Саман маянын түбүнө
көлөкөлөп отурган болот, бирок анда да
ичи бышып чыдабайт:

– Бери келчи, кичине бала! – деп, жал-
гыз отургандан коркконсуп ар дайым мени
жанына чакырып алат.

Ушинткенде жеңем мага ичтеги кандай-
дыр сырын ачып, капасын айтат го деп
күтчүмүн. Бирок ал эчтеке айтчу эмес, тек
гана эркелете менин башымды өзүнүн ти-
зесине коюп, узакка кеткен көз караш ме-
нен алда кайда алыска тигилип, тикенек-
тей тикчийген чачымды уйпалап, дилди-
реген ысык алаканы менен бетимди назик
сылайт. Ошондо жеңемдин муңайым кай-
гы менен санаага толгон жүзүн карап, эмне
үчүндүр өзүмдү ага окшоштурам. Анткe-
ни анын да көкүрөгүн кандайдыр туюк
эңсөө кыстап, анын да жүрөгүндө жаңы
тилектер ойгонгонун ичимден сезип жүр-
дүм. Менин байкоомдо, Жамийла ушундан
коркуп, аны күндөн күнгө өзүнө багынт-
кан сүйүүдөн жазгангысы келет. Бирок
сүйүүдөн дагы танып кеталбай анын ыгы-
на көнүүгө мажбур. Мен дагы ушул сыяк-
туу, бирде туруп: – Жамийла Даниярды
сүйсө экен, – деп, бир туруп: – Кайра сүйбө-
сө экен, – деп тилечүмүн. Анткени канча
айткан менен Жамийла биздин үйдүн кели-
ни, менин бир туугандай агамдын аялы да.

Анан кантип эле аны бөлөккө кыяйын. Бирок ушуну билип эле туруп эмне үчүндүр мен бул өңдүү ойлорду өзүмө жакын жуутпай алыс куучумун. Мен үчүн анда, башымды Жамийланын тизесине жөлөп, анын күн жыттанган денесинин ысык илебине берилип, көздөрүндө жайылып келе жаткан туптунук жаштын мөлтүрөгөнүн кароо — дүйнөнүн эң асыл рахаты! Андан башка мага эчтекесинин кереги жоктой. Жамийланын ошондогу сулуулугу ай! Ичтен ойсанаа сызып, муңайым жарык тарткан жүзү адам канчалык таза экенин, ошону менен бирге канчалык татаал экенин, миң кыял, миң ойдун башын бириктирип, канчалык терең экенин билдиргендей. Ал кезде мен мына ушуларды көзүм менен көрсөм да, түпкү маанисине анча түшүнө бербесем керек. Бирок азыр, нечен күндөр өткөндөн кийин, ошондогуларды элестетип, көп учурда өзүмө суроо берем: балким, сүйүү деген адамдын бардык сын-сыпаты толуп, аң-сезиминин эң бир жетилип турган курагы чыгар? Ооба, жашоонун так ошол жаркыраган курагына, төкмө акынга шык келген өңдүү, адамга сүйүү келип, ага дем берип, жаңы тилек менен турмуштун жаңы багытын издетип, умтула тургандыр? Мүмкүн, ашыктыктын касиети так ушунда чыгар? Андай дегеним мен

ошондо Жамийланын жүзүнө карап, кээ
бир учурда өзүм да анын толкундаганына
берилгенсип, кандайдыр түшүнүксүз куба-
ныч менен эңсөө жүрөгүмдү болкулдатып,
дегдете турган. Ошондо ордуман тура жү-
гүргүм келип, айылдын сыртындагы кең
талаага жете барып, жүрөгүмдү дегдеткен
ушул түшүнүксүз кубаныч менен эңсөө
эмне экенин, анын дабасы эмнеде деп, жай-
калган талаанын өзүнөн кыйкырып сура-
гым келчү. Бул жоопту мен алда кимден
күткөнсүп жүрдүм, бирок бир күнү ал өзү
эле табылгандай болду.

Ал күнү биз адаттагыдай станциядан
чыгып, айылга кайтып бара жаткан элек.
Асманда жылдыздар төгүлүп, түн кирип
калган кез. Айлана жымырап тынч, бол-
гондо Даниярдын обону гана өзөндүн үстү-
нөн созолонуп, алыска жайылып жатты.
Жамийла экөөбүз анын артынан ээрчип
келаттык. Бул жолу эмне үчүндүр, Данияр-
дын обону бөтөнчө бир назик күйүт менен
жалгыздыктын арманына толуп, адамдын
жүрөгүн эреркетип муңкантты. Көзүмө өз
алдынан эле ысык жаш чайылып, тама-
гым жашка буулду. Жамийла бул жолу ко-
лун Даниярга сунуп, жакындай барды да,
ошол бойдон арабаны карманып, башын
эңкейте, ээрчип келе берди. Анан бир уба-
кытта, Даниярдын үнү акырын басаңдап

келип кайра бийик көкөлөп, түнкү талаа-
га жаңыдан мукамдуу илебин төккөндө,
Жамийла башын көтөрдү да, басып бара
жатып, арабага ыргып минди. Даниярдын
жанына отура калып, козголгондон корк-
консуп, колун көкүрөгүнө кыса, отурган
ордуна катып калды. Эми эмне болот де-
гендей туюк ой менен, жолдун четинен
ылдамдап, мен алардан көзүмдү айырган
жокмун. Жамийла анын жанына отурга-
нын Данияр билген жок окшойт, ага ка-
раган да жок, ырдаганын токтотпой улан-
та берди. Бир аздан кийин Жамийланын
колдору акырын жазыла берип, ал Данияр-
га бой салып, сүйөнө калды да, башын се-
кин гана анын ийнине койду. Ошондо, кы-
зуу келе жаткан төкмө жорго жүрүшүнөн
жаңылып, кайра ошол замат оңоло кет-
кен сыңарындай, обон салган Даниярдын
үнү мүдүрүлө түшкөнсүп үзүлүп, кайра жа-
ңыдан шаңшып, күч алды.

Бул обон башкаларга окшобогон ашык-
тыктын, махабаттын жаңы обону болду!

Түн эки жакка сүрүлүп, өзөнгө жарык
төгүлүп, талаанын гүлдөгөн бети ачылган-
дай, ушул кең талаанын ортосунан мен
сүйүшкөн эки жашты көрдүм.

Алар мага назар салбаса да, мен алар-
дан көзүмдү түшүрбөй, сыйкырланган өң-
дүү келаттым. Сүйүшкөндөрдүн мени ме-

нен эмне иши болмок эле, мен эле эмес, дүйнөнүн баарын унуткандай, алар тек гана өздөрүнчө жан эриткен обондун агымына көйкөлүп, термелип келе жатышты. Мен аларды карап, Жамийла менен Даниярды тааныбай жаттым.

Булар, мен башта көрбөгөн кандайдыр жаңы, укмуштай бактылуу кишилер эле!

Ооба, анын бири – көзү караңгыда оттой балбылдап, эски солдат көйнөгүнүн жакасы жакжайып, талааны жаңырта шаңшып обон салганДанияр эле!

Ооба, анын бири – Даниярга эркелеп, унчукпай бой салып отурган менин жеңем Жамийла эле! Чексиз бакытка жеткендей, Жамийланын кирпиктерине жаш мөлтүрөп, каректери жылтылдайт.

Чын эле бакыт деген ушул эмеспи? – ушул гимн өңдүү ааламдай обонду жараткан, жер отонуна, жарык дүйнөгө болгон зор сүйүүнү Данияр бүт бойдон төкпөй-чачпай Жамийлага берип, Жамийлага арнап жатты. Анан бул бакыт эмей эмне? Ошондо аларды карап, менин таң калып, алардын бактысына тилектеш болгонум ушунчалык – бир убакытта кадимки Даниярдын обондору менен келчү түшүнүксүз толкундануу жүрөгүмдү болк эттирип козгоп кетти да, көзүм ачыла түштү. «Мен булардын сүрөтүн тартам!» – дедим да, алда кан-

дай табылга тапкансып, сүйүнүп кеттим. Бирок ошол замат өзүмдүн оюмдан өзүм чочудум: «Менин колумдан бул иш келмек беле, эмнеге элирем?» Ичимден ушуну билип эле турсам да, жанагы укмуштуу ойго алданып, кыялдын агымын токтото албадым: «Ооба, мен буларды сүрөткө тартам, так ушундагыга окшоштурам. Алар менин сүрөтүм да так ушундай бактылуу болушат!» – деп, келе жаттым мен.

Ушул кыялдарга берилип, айланамды карасам, көзүмө август түнү түркүн кубулуп жаркырап, талаа жаздын күнкүдөй гүлдөгөн өңдүү жайнады. Мен дагы өзүмдү бактылуу сезип, ойлогон тилегиме азыр эле жетчүдөй кайраттанып келаттым, көрсө анда бала экем, келечекте бул максатты орундатыш үчүн канча кыйынчылык тартып, канчалык эмгектене турганымды билген эмес экенмин. Андагы менин мүдөөм: Данияр обон салып ырдаганды мен боёктор менен сүрөттөп, ошондой тоо, ошондой асман, булут, жер-сууну Данияр сыяктуу көрктөп берүүдө. Бул ишке чоң өнөр керек экенин ойлобой эле, андагы менин кайгым: «Боёкторду кайдан табам? Мектептен сурасамбы, ай бере койбос, өздөрүнө керек эмеспи!» – деп жүрөм. Кептин баары эле ушунда сыяктанып, кайран балалыгым ай!

Мен ушинтип келаткан арада, Данияр-
дын ыры аягына жетпей, эмне үчүндүр кес-
кин үзүлдү. Мындай карай салсам, Жамий-
ла Даниярды бек кучактап, бир оокумга
аны жүрөгүнө кысып калган экен. Бирок
ошол эле жерден чочугандай кийин боло
берди да, арабадан секирип түштү. Данияр
шашканынан тизгиндерди тартып, аттар-
ды токтото калды. Жамийла тескери ка-
раган бойдон: жолдун ортосунда сеңгирек-
теп турду да, бир убакта мойнун шарт кай-
рып, ыйлачудай дилдиреген үн менен ачуу-
улуу айтты:

– Эмне карайсың? Эмнең бар менде? –
анан тура түшүп, – караба мени, айда ара-
баңды, кет! – деди да, артта калган араба-
сын көздөй басты.

Мен дал болуп, оозумду ачып калган
экемин, жеңем мени да жемелей кетти:

– Сага эмне жок эле? Түш арабаңа, дел-
дейбей! Окшошкон макоолор, кудайдын
азабына гана калган экем да силер менен!

«Ой, тооба, бул эмнеси экен, жин тий-
генби буга?» – деп келе жаттым, мен жол-
ду катары. Ал эми тереңирээк ойлой түш-
көн адам Жамийланын чын эле кыйноого
калганын бат эле түшүнбөйт беле: никелүү
эри Саратовдогу госпиталдардын биринде
жатса, жакында кайтып келем десе, анан
оңойбу?

Бирок мен мындайды ойлонмок турсун, кайра Жамийлага ызам келип, аны жаман көрүп келе жаттым, ал эми Даниярдын экинчи ырдабасын билгенимде, анын обонун мындан кийин эч качан укпасымды билгенимде, кудай билет, Жамийладан жек көргөн, андан түрү суук адам мен үчүн болбойт эле.

Азыр болсо бүткөн боюм шалдырап, көңүлүм алда эмнеге иренжип, эртерээк эле кырманга жетип, саманга кулап жатсам деп келаттым. Араба дагы адамды кыйнап, олку-солку секирет, тизгин колдон жылбышып, жол бүгүн өңгүл-дөңгүл. Кырманга барганда эптеп аттардын камыттарын чечип, аларды арабанын астына сүйрөп салууга алып келдим. Андан кийин саманга барып бир жыгылганымды билем. Данияр ошол түнү аттарды жайытка өзү алып барып тушаптыр.

Эртеси күнү ойгонгонумда, таң кызуу атып калган экен, ушул таң кандай таза болсо, менин да көңүлүм ушундай ачылып, жүрөгүм кубанычка толуп, алда кандай жакшылыктын келерин күткөнсүп туйлады. Адегенде эмнеге сүйүнүп жатканымды билбей, анан кечээ күнкүнү эстеп, ого бетер сүйүнүп кеттим. «Окшоштура алар бекем?» – деген күмөн ой муздак көлөкө сыяктуу бүткөн боюмду чыйрыктырды. Кө-

зүмдү жумуп элестеттим эле, кечээ күнкү көрүнүш тим эле дапдаана, азыр эле сүрөткө тарта койгондой көз алдыма келди. Ордумдан тура жүгүрүп чоң сууга бети-колумду жуудум да, сайда тушалган аттарды көздөй чуркадым. Эртең мененки шүүдүрүм муздак беде, туурулган балтырларымды тызылдатып, шыйрактарга чапкылады. Бирок мен үчүн ал кеп эмес. Кыраркадан кылтыйып келе жаткан күндү тосуп алчудай кубанычтуу кыткылыктап, жан-жанымда болгондорго көз салып, чуркап бара жаттым. Мынакей, арыктын кашатында кодура сары баш күнкарама, алыста төгүлүп келе жаткан күндү көздөй созулуп, боюн оңдоодо. Аны тегеректеп ак баш мыялар курчап алган, бирок жаш кодура аларга моюн бербей, күндүн шооласына алардан мурун озунуп, сары гүлдү башын койкойтуп, күн нурун шимирет. Мынакей, арабалар өтчү арыктан, дөңгөлөктүн жибиген изи менен суу сызылып, эңкейиш бетке жайылган. Ошол суу тийген жер менен чытырман жалбыз дүркүрөп, жыт аңкытып буруксуйт.

Олдо, айланайын тууган жерим ай! Мен чуркасам талаадагы чабалекейлер дагы кошо жарышып, жан-жанымдан зыпылдап учушат!

«Чиркин, сүрөтчү болсом, ушул эртең мененки күндү, ак ала көгүш тоолорду, эр-

тең мененки шүүдүрүм жашыл бедени, арыктын кашатындагы сары гүлдүү кодура күнкараманы сүрөткө тартсам, кандай сонун болор эле!»

Бирок кырманга кайра келгенимде, менин бул алтын кыялдарым, күл сапыргандай сапырылып жок болду. Анткени Жамийла өткөн түнү уктабаса керек, көздөрү ачылбады. Мага ал эчтеке деген жок, караган да жок. Бир убакытта бригадир Орозмат кырманга келип калды эле, атынан түшөр замат, Жамийла анын жанына басып барды да, учурашпай туруп, түрсөсүнөн айтты:

— Арабаңызды алыңыз! Кайда жиберсеңер мейли, бирок стансага эгин ташыбайм!

— И, сага эмне болду, Жамалтай, сайгак тийдиби? — деди Орозмат, аны эркелете күлүмсүрөп.

— Сайгактын менде акысы жок! Барбаймын дедим болду, айтканым айткан!

Орозматтын өңү сустая түштү:

— Айтсаң айтпасаң да ушул: стансага араба айдайсың, башка кеп жок! — деди ал балдагын калчылдатып, жерге күч менен тык коюп.

— Эгер бирөө тийген болсо айт азыр, балдакты башына ойнотом, жок андай эмес экен, жөнө ишиңе! Эгин меники эмес, аскердин эгини, өзүңдүн эриң да ошол жак-

та! – бригадир турган жеринен шарт кай-
рылып, балдакты арыштата секирип, чет-
ке басып кетти.

Жамийла жооп кайтара албай эле, ко-
лундагы камчыны кармалап, кылмышы
бардай кызарып туруп калды. Бери жак-
та турган Даниярды көргөндө, ал ичинен
билдирбей оор үшкүрүндү. Данияр атта-
рын арабага кошуп жаткан. Ал жанагы
сөздөрдү укканы менен, сыр алдырган жок.
Болгондо, тескери карап, камыт боолорду
жулкуй тартып, байлап жатты. Жамийла
дагы бир аз кырмандын ортосунда жал-
гыз турду да, анан «эмне болсо ошо бол-
сун» дегендей колун шилтеп таштап, ара-
басын көздөй басып кетти. Ал күнү биз
айылга күндөгүдөн эрте кайттык. Анткени бара жатканда, келе жатканда да, Да-
нияр аттарды тындырбай айдап эле жүрүп
олтурду. Жамийла да кабагы тырчыгып
көңүлсүз. Мен болсом какыраган боз та-
лааны көрүп, өзүмө ишенбей жаттым: ке-
чээ күнкү түркүн кубулуп гүлдөгөн талаа-
ны жомоктон уккандай эле болуп калып-
тырмын. Кечээ күнкү көрүнүш, кечээ күн-
кү Данияр менен Жамийланын арабада
отургандары көз алдыма эле туруп алды.
Турмуштун эң бир жаркыраган, көрктүү
учурун куш кармагандай колума кармап
алгансып, ошол көрүнүш эстен кетпей,

тынчымды алды. Акыры, ойлогон макса-
тыма жетмейинче жаным тынбады. Кыр-
мандагы эсепчинин бир барак актай калың
кагазын уурдап алып, саман маянын ар-
тына жашынып, кагазды эгин сапырган
күрөктүн үстүнө койгонумда, жүрөгүм аты-
рылып кетчүдөй дүкүлдөп, оозума каптал-
ды. Атам мени биринчи жолу ат үстүнө
мингизгендегини туурап:

— Быссымылда! — дедим да, каламды
кагазга тийгиздим. Адегенде Дaниярдын
штрихтерин белгилей баштадым. Анда бул,
көп мыкты да эмес жаңы үйрөнгүч штрих-
тер эле. Бирок ошондо мен тарткан Данияр-
дын түз келбети өзүнө окшой баштаганда,
көңүлүм алып учуп эле, кайда экенимди,
эмне кылып жатканымды унутуп салдым.
Ошол мен көргөн август түнү, кубулуп жай-
наган кең талаа, кагаз бетине көчүп кел-
генсип, Дaниярдын ошондо шаңшып обон
салганы кулагыма угулуп жатты. Көз ал-
дымда солдат көйнөгүнүн жакасы кере
жакжайган Данияр менен бой салып, ык-
тап отурган Жамийла. Бул сүрөт менин
алгачкы жолу өз алдымча тарткан сүрө-
түм: мына арабанын кыры, мына жанаша
отурган Данияр менен Жамийла, тизгин-
дер алдыда бош ташталып, аттардын жон-
дору карaңгыда термелет, андан нары түн-
кү талаа, алыскы жылдыздар. Мунун баа-

рын ушунчалык берилип тарткан экенмин, бир убакытта эле так төбөмдөн бирөөнүн ачуулуу үнү чыкканда эсиме келдим. Карасам Жамийла экен:

— Сен эмне, тилиң дудук, кулагың дүлөй болдубу?

Көрсө, ал мени издеп жүрүптүр, шашканымдан сүрөтүмдү беките албай да калдым.

— Буудайды алда качан эле жүктөп, эт бышымдан бери кыйкырабыз, кыйкырабыз, же бир үн берсең боло... Алдагы колуңдагың эмнең? — деп Жамийла сүрөттү менден тартып алды.

— Ой, шумдугуң көр! Дегеле... — деп барып, иреңи бузулуп, кагазды телмирип эле тиктеп калды. Ай, менин ошондогу уялганым ай! Төрт шыйрагым өлбөгөн эле жерде калды! Жамийла сүрөттү карап турду да, бир убакытта жаш чайып, муңдана түшкөн көзүн өйдө көтөрдү:

— Мага берчи муну, кичине бала!— деди ал акырын гана. — Мен эстеликке сактап коёюн...

Жамийла баракты эки бүктөп, койнуна салып алды.

Биз жолго чыгып, айылдан бир топ узап кеткенче, мен өз калыбыма толук келе албай жаттым. Жүрөгүмдү терең козгогон көрүнүштү чын эле өзүнө аз да болсо ок-

шоштуруп сүрөткө тартканым аныкпы, же бул бир түшпү деп күмөн санадым. Ошентсем да, жанагы тарткан сүрөтүмө ичтен мактанып, ошого өпкөм көөп, тимеле бир укмуштуу кыялдар башымды айландырып, жакында мен боёк тапсам, толуп жаткан сүрөттөрдү тартып, мектепке илип коём деп жаттым. Көрсө, мындай кыялдар ошол балалык чакта эле болууга мүмкүн экен. Аны менен ишим жок, жол оңуту ылдый болгону менен, өтө эле катуу кетип бара жатканыбызды да ойлоп койбойм. Андай дегеним, алдыда араба айдаган Даниярдан калбайлы деп эле, улам аттарды ылдамдата келе жаттык. Кийинки кезде Данияр ар качан арабасын катуу айдап жүрө турган болду, аттары да бат эле эттен түшүп калды.

Жамийла Даниярга удаа келе жатты. Жол катары ал эки жакка каранып, кээде жылмайып коёт. Анысын көрүп, мен дагы жылмаям, менин ойлогонум: «Сүрөт тартып, жеңемдин бая күнкү ачуусун жазып, көңүлүн ачкан экенмин. Жеңем эми Даниярды ырда десе, ал сөзсүз ырдайт... Демек, бүгүн Даниярдын обонун тыңшап көңүл толкуп жыргаймын... Кандай сонун жыргал, бүгүн Данияр ырдайт экен, ооба, ырдайт – ырдаса экен!»

Бул жолу станцияга биз абдан эле бат келдик, бирок аттарыбыз кара терге түшүп барды. Тараза бош экен, арабадан түшөр замат Данияр каптарды ташый баштады. Ал кайда шашылып, эмнеге мынча капалуу болгонун ким билсин, айтор, унчукпай эле түктүйүп жүрдү. Поезддер нары-бери өткөндө Данияр токтой калып, аларды артынан көпкө чейин узата карап, алда эмне оюна келгендей түнөрүп жатты. Жамийланын ансайын тынчы кетип, Даниярдын оюнда эмне бар экенин билгиси келгендей, ал дагы Данияр караган жакты тигилип карап калат. Бир убакытта Жамийла арабанын жанына барып, Даниярды өзүнө чакырды:

— Бергелчи Данияр, кашка аттын такасы шалкылдап калыптыр, жулуп таштачы, кармап берейин!

Данияр аттын туягын эки тизесинин ортосуна кысып, таканы жулуп алып өйдө боло бергенде, Жамийла аны карап, акырын гана айтты!

— Сен эмне эчтеке түшүнбөйсүңбү? Же менден башка кыз-келин түгөнүп калыптырбы?

Данияр ылдый карап унчукпады.

— Болбосо мага эле оңой дейсиңби? — деди Жамийла, үшкүрүп алып. Даниярдын кашы селт этип өйдө боло берди да, ал

Жамийланы муңайыңкы эркелете карап, бир нерсе айткандай болду, бирок мен укпай калдым, анткени атты ооздуктап кармап турат элем, ат ошондо башын силкип алды. Данияр болсо бир нерсеге ыраазы болгондой, колундагы таканы сылап, нары четке басып кетти. Менин таң калганым: Жамийла айткан сөздөрдүн ага эмнеси жакты? Мисалы, бирөөгө: «Мага эле оңой дейсиңби?» – деп бирөө үшкүрүп айтып турса, анын эмнеси жакшы?

Каптарды ташып бүтүп, биз кайра жөнөгөнү жатканда, жонунда асма кабы бар, уйпаланган эски шинелчен бир арык жарадар солдат короого кирип келди. Ошондон бир аз эле мурун, станцияга эшелон келип токтогон. Жанагы солдат эки жагын каранып, кубанычтуу күлүңдөп турду да, бир убакытта:

– Күркүрөө айылынан ким бар?– деп кыйкырып жиберди.

– Бул ким болуп кетти? – деп, тааный албай жатып, анан:

– Менмин Күркүрөөдөн?– дедим.

Солдат сүйүнүп кетти:

– Сен кимдин баласы элең, иничек?

Ал аңгыча болбой Жамийланы көрө салып, делдейип эле туруп калды?

– Керим сенсиңби, – деди, кубанып кеткен Жамийла.

— Ой, Жамийла, карындашым! — солдат Жамийлага жүткүнүп барып, эки колдоп учурашып калды.

Көрсө, бул Жамийланын кабырга тууганы болгон айылдашы экен.

— Мына десең, бул жерге тимеле билгендей эле кайрылып келген турбаймынбы! — деп жаны калбай жатты, — анын Садыктын жанынан чыкканыма беш күн эле болбодубу, госпиталда бирге жаттык, куда кааласа ал дагы бир-эки айда үйгө кайтып калар. Быякка жөнөрүмдө келинчегиңе кат жаз, өз колум менен өзүнө тапшырайын деп, кат жаздырып алгам... Деги жакшы болбодубу, мынакей аманатың, ыйык парзымдан кутулайын! — деп кобураган бойдон, солдат шинелинин ичинен үч бурчтук катты сууруп чыкты. Колунан жулуп алгандай эле Жамийла катты өзүнө тартып алды да, сүйүнгөнү ушунча болдубу, же уялып кеттиби, адегенде кыпкызыл болуп албырып, анан купкуу болуп туруп калды. Ай жүрөк деген курусун, мына ушул учурда да Жамийла акырын гана көзүнүн кыйыгын салып Данияр жакты карады. Жамийлага армандуу карап, Данияр арабанын жанында өзү жалгыз туруптур. Баягы кырмандагыдай же элге басып баралбай, же четке басып кетпей, жалдырап

эле Жамийланы тиктеп калыптыр. Аңгы-
ча туш-туштан жүгүрүп келишкен киши-
лер солдатты тегеректеп алып, кээси туу-
ган, кээси айылдаш чыгып, учурашып,
сурашып калышты. Жамийла айылдашы-
на ракмат деп да айтып жетишкенче бол-
бой, Даниярдын арабасы андан-мындан бир
тийип, атырылган бойдон короодон жулу-
нуп чыкты да, чаң уютуп жолго түштү.

— Ой, буга жин тийгенби? Сообу? – деп
кыйкырып калышты анын артынан.

Солдатты да туугандары бир жакка
ээрчитип кетишти окшойт, короонун ор-
тосунда жеңем экөөбүз эле калыптырбыз.
Даниярдын арабасы көздөн кайым болгон-
чо, алыста кайнаган чаңды карап турдук.

— Жүр, жеңе, үйгө кетели, – дедим мен.

— Кете бер, мени эмне кыласың!– деди
Жамийла.

Мына ушинтип, биз биринчи жолу бир-
бирибизден бөлүнүп, ар кимибиз өзүбүзчө
жолго чыктык.

Талаа үп болуп, демигип турган экен.
Жерден көтөрүлгөн ысык тап эриндерим-
ди кеберситип, таңдайымды кургатып жат-
ты. Чаңкайган асмандагы күн жерди көө-
рүккө салгандай эртеден бери өрттөп жат-
ты эле, азыр кечке жуук какшыган жер
бетин туздуу шор каптады. Ошондой эле
туздуу бозомук алыскы белеске түшүп,

көлкүлдөгөн күн туманда чайпалгансып, мунарыктап батып бара жатты.

Белестин үстүндөгү кызыл сур булутчалардын асманда уюган кара жалын сыяктуу түрү сүрдүү. Кээде керимселдин оор толкундары келип, аттардын таноолоруна ак шор ширетип, чаңыган жал-куйругун жайбаракат оодарыштырып, жол боюндагы шыбактардын баш-башын ыргап жылжып кетет.

«Бул эмнеси, жаан болобу?» – деп жаттым мен.

Ошондо жүрөктү сыдырган жалгыздык ичимди аңкылдатып, алда эмнеден коркконсуп, аттарды тындырбай айдап отурдум. Мен гана эмес, узун шыйрак боз тоодактар да бир нерседен чочуган өңдүү элтеңдешип, чий аралап коктуга жашынышты. Курмушунун үзүндүлөрүндөй карайган төө жалбырактын сыныктарын шамал алда кайсы жерден жол үстүнө айдап келип жатты. Биз жакта мындай жалбырактар болбойт, түрү бул казактын чөлүнөн келген болуш керек. Айланада да эч бир жан жок: Данияр да көрүнбөйт, артта калган Жамийла да жок. Тигине жылт этип күндүн чети жашынды. Чаалыккан талаа тунжурап уйкуга бөлөндү.

Кырманга каш карайганда жеттим. Кырман тынч, үп эткен шамал жок. Да-

ниярды чакырсам кароолчу абышка жооп берди:

— Ой, ал сууга кетти, аны эмне кылат элең? — Анан улутунуп алып өзүнчө кобурады. — Үп болуп турганын карасаң, оо алла, шамал жортпосо кырманда иш болмок беле, элдин баары үй-үйүнө кетишти...

Аттарды бедеге тушап коюп, кайра келе жатканда сууга кайрылдым. Данияр адатынча тик түшкөн жардын башында отуруптур. Артынан караганда да анын кайгыга чөгүп, армандуу отурганын билүүгө болор эле. Сыңар тизесин кучактап, башын саландатып, жар астында күпүлдөгөн сууну тыңшап отуруптур. Анын аянычтуу отурушу жүрөгүмдү мыкчып өттү. Жанына басып баргым келип, Даниярды боорума кысып, ага өзүмдө болгон бардык жакшынакай сөздөрүмдү айтып, капасын бөлүшкүм келди. Бирок мен ага эмне дейт элем, аны кантип жооткотот элем? Бир топко чейин четте туруп, анан кайра кырманга бастым.

Ушундан кийин дагы көпкө уктай албай саманда жаткан жеримде асмандагы калдайып келе жаткан булуттарды карап: «Адамдын турмушу эмне үчүн мынча тааал, эмне үчүн мынча түшүнүксүз болот?» — деп ар кайсыны ойлондум. Жамийладан болсо дагы эле кабар жок: «Ал мынча эмне

кечикти, кайда жүрөт?» – деп, арабанын калдыраганын угууга зар болуп, кулак түрүп жаттым. Же уктагандай уктап кете албай, же туруп кетпей, бүткөн боюм шалдырап кыйналдым. Үнсүз, дабышсыз чагылгандар булут аралап, жалт-жулт кубулуп жатышты.

Данияр суудан келгенде, мен уктай элек элем. Ал эмне кыларын билбей, жол жакты кайта-кайта карап кырманда басып жүрдү да, анан менин жаныма келип, саманга боюн таштап кулады.

«Ай, эми кетет го, бир жакка, калбайт айылда!» – деп, ойлодум мен. – Бирок бечара кайда барар эле. Үй-жайы жок мусапыр кимге керек эле? Деги жаман болду, кантер экен эми?

Көзүм илинип бара жатканда, кырманга жай келе жаткан арабанын кылдырааны угулуп калды. «Жамийла келди окшойт?» – деп болжодум уйку аралаш.

Канча уктаганымды билбейм, бир убакытта эле так кулагымдын түбүнө саман шырпылдап, бирөө басып келгендей болду. Канат серпкендей кандайдыр бир суу нерсе бетимди сылап өттү. Көзүмдү ачсам Жамийла экен. Сууга түшүп келген көрүнөт, көйнөгүн да салкындатып сууга сыгып келиптир, өзү да бир түрлүү жагымдуу салкындыкты ээрчитип келди. Жамий-

ла токтой калып, эки жагын элеңдеп карады да, Даниярдын баш жагына отурду.

– Данияр, мына мен өзүм келдим! – деди ал акырын шыбырап.

Жымжырт тынчтык, асман капталдап чагылган ылдый сойлоду.

– Сен таарындыңбы? Катуу таарындыңбы я?

Дагы эле айлана тыптынч, нары сууда кемерленген жээк чолп этип жумшак кулады.

– Бирок мен айыптуу белем?.. Сенде да айып жок...

Тоо кыркалап күн күркүрөдү. Чочуп кеткен Жамийла жалт бурулуп караганда, чагылган анын жүзүн жапжарык кылып көрсөттү. Ошол замат Жамийла Даниярды кучактап жакындай бергенде, ал аны өзүнө тартып, кучагына кысты. Саман менен суналып Жамийла анын жанына жатты.

Акактап күйүккөн шамал талаадан жулунуп келип, саманды уйгу-туйгу сапырыштырып, кырмандын четинде кыңырыла түшкөн боз үйгө бир тийип, жол менен сабалап куюндады. Чагылгандар булуттун арасына көгүлтүр жалын ойнотуп, карагай сынгандай кургак чатырап күн күркүрөдү. Бүт денем дүркүрөп сүйүндүм да сүрдөдүм, күн күркүрөгөн акыркы чагылган-

дуу добул табийгаттын сүрдүү көркүн ачып, жайдын аягын бүтүрүп келе жатты. Мына ушул эчтекеге токтолбос күчтөй демитип, Жамийла Данирга шыбырап жатты:

— Чын эле күмөн санадыңбы, кантип эле сени бирөөгө алмаштырайын!.. Керек эмес, түштөн кийинки сүйүүсү өзүнө буюрсун!.. Мейли, ким эмне десе да мен сеникимин! Жалгызым, секетим, эч кимге сени ыраа көрбөйм!.. Мен сени бүгүн эмес, кечээ эмес, сыртыңдан билгендей, бала болуп эс тартандан бери сүйөм... Мына эми сен да мени издеп келдиң!..

Жашыл-ала көгүлтүр чагылгандар ийме-чийме сынып, жардын артына сууга түшүп жатты. Жаандын алгачкы тамчылары дыбырай баштады.

— Жамийла, жаным-калкатайым, кызыл гүлүм, Жамалтай! — деп, Данияр кыргыз менен казакта болгон эң назик аттарды сүйгөнүнө арноодо. — Мен дагы сени алда качан сүйгөм, өмүрүмдө көрбөсөм да, окопто жатып сени ойлогом! Көрсө, менин сүйгөнүм туулган жеримде тура! Көрсө, ал сен экенсиң, Жамийла, кызыл гүлүм!

— Бүркүтүм! Шаңшыган бүркүтүм! Бери болчу, көзүңдү көрсөтчү! О, шаңшыган бүркүтүм!

Жаан күчөп келди. Шамал учурган үйдүн үзүгү, кулаалы канат каккандай дал-

баңдап жулунду. Бирде кыйгачынан, бирде тик куюлган нөшөр жерди сагынгандай үстү-үстүнө өпкүлөп, асмандын капталкапталынан көчкү жүргөнсүп күн күркүрөдү. Кызгалдактын жазгы өртүндөй, жалын алган чагылгандар тоо боорлоп, төш-төшкө жайнады.

Жаан күчөй берди, мен болсом саманга көмүлүп, так колтуктун астында тикилдеген жүрөктү сезип жаттым. Ушул учурда менден бактылуу, менден таалайлуу эч ким болгон эмес чыгар. Көптөн бери сыркоолоп бүгүн эшикке чыкканда, асманда жаркыраган күндү көргөнсүп, жер үстүндө жашоонун өзү канчалык жыргал экенин билгенсидим.

Жаан да, чагылгандардын жарыгы да, самандын астында жаткан жериме жетип жатты, бирок мен андан жүдөп жыйрылган жокмун. Көзүм илинип бара жатып, өзүмчө эле күлүңдөп жаттым: кулагым чалган эмне болду экен, – Жамийла менен Даниярдын шыбырашканыбы, же бастап келе жаткан жаандын саманга шыртылдап тийгениби?

«Мына эми күн жаай берет, күз келет!» – деп жаттым мен өзүмчө. Чын эле күздүн кабарчысындай болуп, нымдалган саман менен кыярган эрмендин кеч күздөгүдөй жылуу деми мурунга келип жатты.

Ал эми күзүндө биздин тагдырыбыз кандай болорун эмне үчүндүр ойлобоптурмун.

Ушул күз эки жыл үзгүлтүктөн кийин, мен кайра мектепке жүрө баштадым. Сабактан кийин бош убакытта көп учурда баягы суу боюндагы жар үстүнө барып жүрдүм. Кырман ал кезде аңылдап, ээн калган. Бул жерде мен мектептен алган боёктор менен өзүмдүн биринчи этюддарымды, сүрөтчөлөрүмдү тарттым. Андагы сүрөтчөлөр анча деле жакшы болбосо керек, анткени ошондо эле мага көп жакчу эмес. «Боёкторум начар көрүнөт, – деп ойлочумун ичимден.– Атаңдын көрү, чыныгы боёк тапсам, кандай сонун болор эле!» Ушундай дегеним менен, ошол чыныгы боёктор кандай болорун өзүм да билчү эмесмин. Тээ кийинчерээк гана сүрөтчүлөр колдонгон тюбиктеги сыкма боёкторду биринчи жолу көрүүгө туура келди.

Боёктор го боёк болсун, бирок мугалимдердин айткандары да туура болуп жатты окшойт: сүрөтчү болуш үчүн сүрөтчүнүн өнөрүн атайлап үйрөнүш керек, анын окуусун окуш керек. Бул акыл чеки болбогону менен, окуу жөнүндө менин үмүтүм да жок эле.

Окуу кайда: агаларым ошол бойдон дареги жок жатса, анан эки үйдүн жалгыз

бел байлар жигитин энеси окууга жиберчү
беле. Муну билип, мен унчукчу да эмес-
мин. Бирок ансайын окууну эстеп ичим
күйчү, анын үстүнө ошол жылкы күз өзгө-
чө көрктүү болду. Колдон өнөр келсе, көр-
гөнүңдүн баарын тартсаң эле, өзүнчө сүрөт
боло тургандай. Аттигиң, ошондогу күз ай!

Күркүрөөнүн суусу тартылып, көк каш-
ка болуп турган. Суунун астына бөгөлгөн
баягы казандай таштар эми сыртка чы-
гып, алардын үстүндө жапжашыл, сапса-
ры тукаба өңдүү эңгилчектер оюу жүргүз-
гөн. Эртең мененки үшүктө бадалдын жы-
лаңач чыбыктары назик кызарып, жапайы
терекчелер күндөн-күнгө түрдөнүп кыя-
рууда.

Жайы менен жайлоодо түтүнгө ыштал-
ган жылкычылардын үйлөрү азыр чоң
сайдын буурул тарткан жабындысында ти-
гинде-мында карайып, ак элечек, ак көй-
нөк кийгендей түтүндөр чамгарактан этек-
жеңин чубалжытып, той-тойлогон аялдар-
дай айылма-айыл көйкөлүшөт. Тегеректе
жылкы жайылып, бет-бетинче басып кет-
кен үйүрүн чогулта албай, тынчы кеткен
айгырлар элтеңдешип азанашат, – жазга
чейин эми ушунусу ушул: бээлер оңой ме-
нен үйүргө токтобойт. Тоодон түшкөн мал
сары сойгок жапырып, аңыз-аңызда жү-
рөт. Күзгү талаанын бети изден чыбыр-ала.

Күз ушинтип эле жакшылыгын алып туруп алган жок. Көп кечикпей кара жел жүрдү, асмандын иреңи бузулуп, кар аралаш жаан башталды. Аптасына көз ачырбаган жаан, бир күнү басаңдап токтогондон, мен Күркүрөөнүн жээгине бардым, нары таштак аралчада жылгын менен чычырканактын арасындагы бир түп тоо четин жалбырттап күйгөн оттой болуп, сүрөткө эле «суранып» туруп алды.

Жээкте бадалдын арасында сүрөт тартып отурат элем, кеч кирейин деп калган, бир убакытта башымды өйдө көтөрүп, наркы өйүзгө суу кечип өткөн эки кишини кокус көрө калдым. Алар Данияр менен Жамийла экенин дароо тааныдым. Эмне үчүндүр алардын жүздөрү чочулап сактангандай сүрдүү эле. Данияр адатынча демите арыштап аттаган сайын, анын топчуланбаган шинелинин этектери, эскилиги жеткен солдат өтүгүнүн кончторуна шартылдата урунуп келе жатыптыр. Жамийла болсо, аппак жуулган жүн жоолугун салынып, үстүнө базарга кийчү кызыл-ала гүлдүү көйнөгү менен чийбаркут чапанын кийип алыптыр. Бир колунда көтөргөн түйүнчөгү бар, экинчи колу менен Данияр дын асма баштыгын карманып келе жатыптыр. Экөө кез-кез бир нерсени сүйлөшүп коюшат.

Булар биздин айылды таштап, бир жакка кетип бара жаткандарын түшүнгөндө, ичим тыз этип куйкалана түштү.

Тигине, ал экөө коктудан өтүп, чий аралап жөнөштү, а мен шалдайган бойдон алардын артынан карап, эмне кыларымды билбей калдым. Үндөйүн десем, тилим таңдайыма жармашып калгандай.

Тоо кыркалап ээрчишкен булуттарга күндүн кыйын нурлары акыркы жолу бир тийип, жерге күүгүм түштү. Айлана бат эле караңгылай баштады.

Данияр менен Жамийла артына карабай темир жолдун разъездин көздөй ылдам басууда. Алардын караандары улам алыстап отуруп, бир аздан кийин чийдин арасынан көрүнбөй калды.

Мен мына ошондо гана эсиме келдим.

– Жамийла-а-а-а! – деп, күчүмдүн бардыгынча кыйкырдым.

Томсорогон талаанын үстүнөн: «А-а-а!» деген жалгыз жаңырык көпкө созолонуп, муңканып басылды.

– Жамийла-а-а-а! – дедим мен, дагы бир ачуу кыйкырып, анан турган ордумдан атырылып, тигилердин артынан жүгүрдүм. Сууну суу дебей, өтүкчөн, кийимчен бойдон түз эле сууга салганымда, тызылдаткан муздак чачырандылар бетиме, бүткөн боюма жабыла берди. Ага да карабай,

дагы күчөп чуркадым. Бир убакытта бу-
тум бир нерсеге чалынып кетти эле, күү
менен барып бет алдымдан жерге жыгыл-
дым. Ошол бойдон, башымды өйдө көтөр-
бөй, бетимди мыкчып, өксүп-өксүп ыйлап
жибердим. Астымдагы нымдуу топурак
жыттанган жер колумду, бетимди музда-
тып, кеч караңгысы жонума салмагын сал-
гандай, өпкөм кысылып, чийлер менин
кайгымды бөлүшүп, жан-жанымдан муң-
канып ышкырып жатышты. Жана Жа-
мийланы кыйкырган үнүм дагы эле том-
сорсон талаанын үстүнөн жаңыргансып,
кулагымдан кетпейт.

– Жамийла, Жамийла! – деп, жаш ба-
лача шолоктоп, мен өзүмдүн эң жакын көр-
гөн кымбаттуу кишилерим менен кошто-
шуп жаттым. Мына ушунда гана, жерде
ыйлап жаткан учурумда, мен өзүм дагы
Жамийланы сүйгөнүмдү түшүндүм.

Ооба, балким, бул балалык кездеги ме-
нин эң таза, наристе сүйүүм болгон чыгар!

Бетимди көз жашыма сууланган жеңи-
ме катып, дагы көпкө чейин ыйладым.
Көрсө, мен ушул учурда, жеке эле Жамий-
лалар менен коштошпой, өзүмдүн балалык
чагым менен дагы коштошуп жаткан экем.

Караңгыда темселеп үйгө келгенимде,
биздин короодо дүрбөлөң түшүп, кимдир
бирөөлөр ат токуп, шашылышып жатыш-

кан экен. Осмон зөөкүр болсо адатынча
мас, колуна союл кармап, тепсетип
кетчүдөй атын жулкунтуп бакырат:

— Ой, мен айтпай жүрдүм белем! Мына
эми, бүт Олжобай атасына шермендечилик
иш болбодубу? Бол аттангыла, жеткен эле
жерден тентиген ит чала казакты жыга
чаппасам, атым өчсүн, мейли он жыл мой-
нумда, бирок көрүнгөнгө Олжобайдын ка-
тындарын талоонго бербейбиз! Аттан жи-
гиттер, кеттик! Кайда узайт дейсиң?! Куу-
гун кайсы жакка ат коёр экен дегенимде,
жүрөгүм шуу деп, муздай түштү. Эмне кы-
ларымды билбей, айылдын сыртына чейин
атчандардын артынан жүгүрүп отуруп,
алардын разъездди көздөй эмес, станция-
га кетчү чоң жолго түшкөнүн көргөндө гана
жаным тынчыды. Анан үйгө келдим да,
ыйлаганымды эч кимге көрсөтпөй, атам-
дын тонуна оронуп алып, чүмкөнүп жат-
тым.

Ушундан кийин айылда канча кеп-сөз,
канча ушак-айың болду. Аялдардын баа-
ры эле Жамийланы жамандашып жатты:

— Акмак да! Болбосо ким эле өзүнүн
ырысын тебелеп, тентиген мусапыр менен
ээрчишип кетсин!

— Ошону айт, жеңе! Эмнесине кызыкты
дейм да! Жаман шинели менен тамтыгы чык-
кан өтүгүнөн башка эчтекеси жок эле го!

— Анан эмне, короо-короо малы бар беле! — деп, дагы бирөө коштой чыгат. — Үйү жок, жайы жок тентиген неме да! Мейли, өз убалы өзүнө, тим кой өкүнүп бармагын тиштер, али... Көрөрбүз, ошондо ал сулуусунган немени!

— Тооба, Садыктан артык эрди ал кайдан тапмак эле?

— Аны айтасың, кайненесичи? Ошондой, пайгамбардай болгон кайненени кайдан табат экен ал! Өз шоруна өзү түкүргөн арам, мейли!

Мүмкүн, жалгыз мен гана өзүмдүн мурунку жеңемди жамандабай анын кылганын туура деп тапкандырмын... Даниярдын эски шинели менен тамтыгы чыккан өтүгүн мындай коё туруп, ал өзү ким экенин, анын ички байлыгы канчалык зор экенин, мен билбегенде ким билет. Жамийла Данияр менен ээрчишип кетип, таалайсыз болот деген кептерге мен эч бир ишенмек турсун, кайта, ал анык таалайын эми тапты деп ишенгем. Болгондо, ушул апам үчүн катуу капа болдум, Жамийла менен кошо анын күч-кайраты, билгичтиги кеткендей, апам өзүнөн өзү эле кайгыланып, эңшериле түштү. Жарыктык, турмуштун агымы кээде ушинтип өзүнүн эски нугун талкалап, чукул жерден жаңы багытка бет

ала тургандыгын түшүнгөн эмес окшойт. Мисалы, чоң карылуу теректи бороон тамыры менен омкоруп кетсе, ал экинчи тура келбейт да... Апам дагы ушул сыяктуу: мурунку күчүнөн тайганы ар бир кыймылынан байкалып калды. Башта ал ийнесин эч кимге саптатчу эмес, намыстанып жаман көрчү. Эми болсо, бир күнү үйгө кирип келсем, апам ийненин көзүн таба албай жарыкка шыкаалап, ыйлап отуруптур.

— Ме, жип өткөрүп берчи! — деди ал ийне-жипти калчылдаган колу менен сунуп жатып. Анан оор үшкүрүк түтөттү да, жашын сыгып жатып, өзүнчө сүйлөндү. — А-а, шордуу келиним ай, эчтекеден эчтеке жок кор боло турган болдуң ээ... Ушул бойдон колдо жүрсө не деген киши болор эле... Кайран Жамийла... Өзүңдү өзүң өлтүрдүң... Чандың бизди, кеттиң... Эмне үчүн кеттиң... Биздин үйдө эмнеден кем болдуң эле?.. Шордуу Жамийла...

Апамдын ушинтип отурганын көрүп, сай-сөөгүм сыздап кетти. «Жок, апа, ал шордуу эмес!» — деп кыйкырып жибере жаздап, токтолдум. Апамды кучактап алып Данияр деген кандай киши экен, мен аны кандай жакшы көргөнүмдү айтып берип, буркурап ыйлагым келди. Бирок бул сөздөрдү мен кайсы бетим менен айтат

элем: өмүрү өткөнчө апамдын көңүлүндө муң калбайт беле.

Ошентсем да, менин бул күнөөсүз «кылмышташтыгым» билинбей калган жок.

Арадан көп өтпөй Садык үйгө кайтып келди. Чынын айтканда, сыртынан байкатпаган менен ал абдан эле намыстанып, ич күптү болуп жүрдү. Ырас, Осмондор менен ичкилик үстүндө отурганда оозун көптүргөнү бар:

— Атасынын көрү, кетсе кеткени! Жолжолдо самсып жүрүп, акыры бир жерде ачтан тороёт да! Катын деген азыр толуп жатат, четинен чертмей... Алтын баштуу катындан, бака баштуу эр артык...

— Аның го туура, — деп Осмон жооп бере турган. — Бирок ошондо бир колума тийбеди да кап: тигинисин селейте чаап, беркисин чачынан атка сүйрөтөт элем! Алар болжолумда, Түштүккө кетишти го, пахтага, болбосо, казакта тентип жүргөндүр, тигиге көнүмүш эмеспи башынан... Эми бир таң калган жерим: ушул ишти эч ким билбейт, эч ким байкабайт, кандайча болгонун сезбей да калдык... Жанагы бураңдаган канчыктын арамзалыгы, жигин билдирген жок, болбосо го аны!

Мындай сөздөрдү укканда, каным кайнап, муштумдарым түйүлчү. Алым келсе,

ушул Осмондун бетине түкүрүп айтар элем: «Баягы чөп чабыкта болгондор эсиңден чыкпай жүргөн экен ээ... Болбосо, анык арамза, анык бузулган зөөкүр сенсиң!» — дээр элем.

Бир күнү үйдө отуруп, мектептин дубал газетасы үчүн сүрөт тартып жатат элем, апам да мештин жанында от жагып отурган, бир убакытта эшик шарт ачылып, үйгө купкуу болуп сурданган Садык акем кирип келди. Ал мени көздөй жулкунуп басканда, желбегей жамынган шинели жерге учуп түштү.

— Муну ким тарткан? — деп, ал чоң барак кагазды бетиме сунду. Кагаздагы сүрөттү көргөндө үрөйүм учту: бул менин баягы кырманда Данияр менен Жамийланы калам менен тарткан сүрөтүм экен. Алар мени ошол учурда тике карашкандай болушту: — Олдо Жамийла ай, муну кантип таштап кетти экен? Үйдүн бир жерине бекитип коюп, ошо бойдон унутуп калган го!..

— Мен тарткан элем! — дедим мен.

— Булчу, бул ким өзү!

— Данияр.

— Бузукусуң сен! — калчылдаган Садык акем сүрөттү майда-майда кылып тытты да, жерге тебелеп, эшикти шарт жаап, сыртка чыкты.

Үйдүн ичин көпкө тунжураган, сүрдүү тынчтык бийледи.

— Сен билчү белең? — деп, сурады бир убакытта апам.

— Ооба, билчүмүн.

Апам мешке жөлөнө калып, мени ушундай бир кыжаалат болгон көз караш менен телмирип тиктегенде, биротоло чабар бармакты чабайын деп:

— Мен алардын сүрөтүн дагы тартам! — дедим.

Апам унчуккан жок, башын кайгылуу чайкап төмөн түшүрдү.

Жерде тытылып жаткан сүрөттү карап, ичимди өрттөп куйкалаган ызага чыдабай жаттым, мейли мен биздин үй-бүлө, биздин уруу үчүн «бузуку» болоюн, бирок адамдык чоң чындыкка мен кыянаттык кылган жокмун, турмуштун чоң чындыгына мен акыр-акырына чейин адилеттүү болгом. Менин мына ушул ак ниеттүүлүгүмдү эч ким билген эмес, аны элге айтууга да болбос эле, анткени башкалар түгүл, жанымдай көргөн өз энем да мунун маанисин түшүнбөс эле.

Апам унчукпай отура берди. Жанагы ыза болгонума көзүмө жаш имериле түшкөн окшойт, жерде чачылган сүрөттүн үзүндүлөрү айлампа сууга аккансып, каалгып жатты. Жана Данияр менен Жамий-

ланы сүрөттөн тирүү сыяктуу көргөн учур
мээме ушунчалык кадалган экен, көз ал-
дыма баягы август түнүндөгү гүлдөгөн та-
лаа келип, Даниярдын от менен жалын
алып шаңшыган обону кулагыма угулган-
сып жатты. Жамийла менен Данияр дын
ошондогусун эстеп, мунайыңкы эстегенде
жүрөгүмө кайрат толуп, мен дагы ошолор
сыяктуу өз таалайым үчүн кыйын жолго
чыгууга тайманбай бел байладым.

— Мен окууга кетем! —дедим мен апама,
— сүрөтчү болгум келет, сүрөтчүнүн окуу-
суна барам, атама да ушуну айтып кой...

Бул сөздү айтканымда, апам азыр со-
гушта жок болгон агаларымды эстеп, бур-
курап ыйлайт ко деген ой менен, өзүмдү
ошого чыдагандай кайраттандырдым. Би-
рок бакытка жараша, апам бул жолу көзү-
нөн таруудай жаш чыгарган жок, болгон-
до өтө катуу кейип айтты:

— Мейлиң, барсаң өзүң бил... Темир ка-
нат болгон соң, ар кимиңер өзүңөрчө ка-
нат шилтеп калбадыңарбы... Биз кайдан
билели, балким, силердики чындык чыгар,
балким, алыска чабыттап учарсыңар...
Азыркы заман эми ушундай болбодубу...
Окууңа барсаң өзүң бил... Балким, ошол
жакка барганда, сүрөт тартып чиймелеген
кесип эмес экенин билерсиң... Үйүңдү, ата-
энеңди унутпа, бар сураганым ушул...

Ушул күндөн тартып кичи үй өзүнчө бөлүнүп кетти. Мен болсом көп кечикпей окууга жөнөдүм.

Сүрөтчүлөрдүн мектебин бүтүрүп, Ленинграддагы академияга өнөрүмдү улантыш үчүн дагы окуганы барганда, мен өзүмдүн дипломдук ишимди тапшырдым. Бул дипломдук иш көптөн бери ниет кылып, жүрөгүмө сактап жүргөн сүрөт эле.

Албетте, силер бул сүрөттө Данияр менен Жамийла тартылганын дароо эле сезген чыгарсыңар. Ооба, менин ал сүрөтүмдө, күзгү кең талаа менен кеткен жолдо, топчуланбаган шинели жакжайып, алдыга утурлап баскан Данияр менен анын жанында асма баштыгын карманып, кубанычтуу келе жаткан Жамийла...

Алардын бет алды Данияр ырдаган учкыйыры жок көйкөлгөн жарык мейкиндик... Бул жарык мейкиндикте кимдер Жамийла менен Даниярча таалайлуу болбос!..

Ырас, менин сүрөтүм бардык жагынан мыкты тартылган деп айталбасмын, чебердик бара-бара эмгек менен келет эмеспи... Анткени менен, бул сүрөт мен үчүн дүйнөдө эң кымбаттуу зат, анткени жүрөктүн эң асыл, алгачкы жалынын мен ушул сүрөткө бергенмин.

Мына эми бир топ тажрыйбалуу болсом да, кээде иштегеним ойдогудай чыкпай калат, ошондо өз күчүмө ишенбей күмөн санаган оор учурлар болот. Андай учурларда менин жүрөгүмдүн дабасы – сүрөттөгү Данияр менен Жамийла, алар көзүмө ушундай ысык көрүнүп, мени өзүнө тартып тургансышат. Ошондо сүрөттү карап, Данияр менен Жамийладан көпкө көз айырбай, алар менен ой бөлүшүп, көзмө-көз сүйлөшөм:

«Кайдасыңар силер азыр, кайсы жолдор менен кетип бара жатасыңар?» Биздин жерде мындай кең талаа, мындай жолдор көп: Казакстандан тартып, Алтай менен Сибирге чейин ачык мейкиндик! Бул ачык мейкиндикти, ушул мейкиндиктей зор эмгекти сүйгөн азаматтар жаңы жерлерде, жаңы турмуш куруу үчүн аттанышты! Балким, силер дагы ошол жакка кеткен чыгарсыңар! Анда сапарыңар ачык болсун!.. Жамийла, менин алтын Жамийлам, сен кеткенде, башыңды бийик көтөрүп кылчайбай, тайманбай кең талаа менен кеткенсиң... Азыр да ошондойсуңбу, азыр да жол баскандан талыбайсыңбы? Же чарчаган күндөрүң болобу, жаным Жамийла? Же өз күчүңө ишенбей күмөн санаган күндөрүң болобу, гүлүм Жамийла! Эгерде андай болсо алсыздыкка берилбе,

Даниярды медер кылып, жөлөн! Ошондо Данияр баягыдай сүйүү, жер, жарык дүй-нө, турмуш жөнүндөгү деңиздей төгүлгөн жалындуу обонун салып берсин! Ошондо көз алдыңда кең талаа гүлдөп, биздин ав-густ түнүндөгү чагылгандуу добул төгүп берсин! Коркпо, Жамийла, алыс жолдон, сенин жолуң таалай жолу, андан күмөн санаба!

Жол менен баскандарды карап, мен алар менен сырдашам. Тигине, Данияр обон салып шаңшыды, демек, ал Жамий-ла экөө мени жолго чакырышат. Ооба, мен жолго чыгышым керек! Ооба, жайкалган кең талаанын жолун басып мен өзүмдүн айылыма барам! Туулган-өскөн жер – күч кубатым! Мен андан жаңы түркүн боёк та-бам. Сүрөт тарткан боёктун ар бир сүрткөн сызыгынан Даниярдын обону угулсун! Сү-рөт тарткан боёктун ар бир сүрткөн сызы-гында Жамийланын жүрөк оту болсун!

Көркөм-адабий басылма

АЙТМАТОВ ЧЫҢГЫЗ

ЖАМИЙЛА

Повесть

Бишкек, «Турар» басмасы

(Кыргыз тилинде)

Редактору *Ж. Теңирбергенова*
Көркөм редактору *Р. Төлөбеков*
Компьютердик калыпка салган *Г. Ниязалиева*

Басууга 15.11.2019-ж. кол коюлду.
Офсет кагазы. Кагаздын форматы 70x90 $^1/_{32}$.
Көлөмү 7,0 б.т. Нускасы 1000. Заказ № 1760.

_____

«Турар» басмасынын басмаканасында басылды.
720031, Бишкек шаары, Горький көчөсү, 1.